Noivas em fuga

TESSA DARE &
CHRISTI CALDWELL

Tradução: Nilce Xavier

GUTENBERG

Título original: *Rogues Rush In: A Regency Duet*

EDITORA RESPONSÁVEL
Flavia Lago

PREPARAÇÃO
Carol Christo

REVISÃO
Bia Nunes de Sousa

CAPA
Larissa Carvalho Mazzoni
(sobre a imagem de Ironika / Shutterstock)

DIAGRAMAÇÃO
Guilherme Fagundes

Dados Internacionais de Catalogação na Publicação (CIP)
Câmara Brasileira do Livro, SP, Brasil

Dare, Tessa

Noivas em fuga / Tessa Dare, Christi Caldwell ; tradução Nilce Xavier. -- 1. ed. -- São Paulo : Gutenberg, 2021.

Título original: Rogues Rush In: A Regency Duet

ISBN 978-65-86553-41-3

1. Literatura norte-americana I. Caldwell, Christi. II. Título.

20-52322 CDD-813

Índices para catálogo sistemático:
1. Ficção : Literatura norte-americana 813
Aline Graziele Benitez - Bibliotecária - CRB-1/3129

A **GUTENBERG** É UMA EDITORA DO **GRUPO AUTÊNTICA**

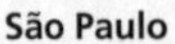

São Paulo
Av. Paulista, 2.073, Conjunto Nacional
Horsa I . Sala 309 . Cerqueira César .
01311-940 São Paulo . SP
Tel.: (55 11) 3034 4468

Belo Horizonte
Rua Carlos Turner, 420
Silveira . 31140-520
Belo Horizonte . MG
Tel.: (55 31) 3465 4500

www.editoragutenberg.com.br
SAC: atendimentoleitor@grupoautentica.com.br

Noiva disponível

TESSA DARE

Capítulo 1

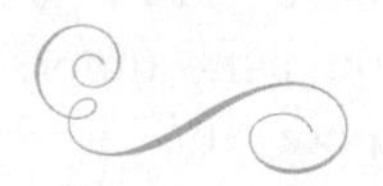

Eis a primeira regra da amizade entre cavalheiros: Nunca, jamais se engrace com a irmã de seu melhor amigo.

Não e ponto. Nem *pense* nisso.

Não. Encoste. Um. Dedo. Sequer.

Sebastian Ives, Lorde Byrne, nunca fora homem de seguir regras.

Mas promessas? Ele as encarava com a maior seriedade. A amizade com Henry Clayton havia sido a âncora dos anos turbulentos de sua juventude, por demais valiosa para ser arriscada. Portanto, fez um pacto consigo e agarrou-se a ele resolutamente – pelo menos o melhor que pôde – por anos.

Onze anos.

Onze *longos* anos.

Mais de *quatro mil dias* lutando contra a tentação de tomar Mary Clayton em seus braços e...

Bem, os detalhes variam daí em diante.

Basta dizer que, à parte o contato casual exigido pelas convenções sociais, ele jamais encostou nela – com uma exceção. Após o funeral de Henry, a abraçou por horas enquanto ela chorava. Mas é óbvio que essa ocasião não conta.

Hoje, todavia, Sebastian se viu tentado a quebrar sua promessa. Não, "quebrar" era eufemismo. Ele queria mandar os princípios às favas, queria pisoteá-los, esmagá-los até que não restasse nada além de areia triturada sob suas botas.

Droga, a visão de Mary, tão linda em seu vestido de noiva, ocupava todos os seus pensamentos.

Não apenas ocupava, preocupava.

– Onde diabos está o seu noivo?

– Não sei ao certo – ela respondeu.

Ele andava de um lado para o outro no minúsculo anexo da capela, desviando o olhar do pescoço emoldurado por um delicado cacho avermelhado.

– Como o bastardo ousa te deixar esperando?

– O Sr. Perry não é um bastardo. É o filho legítimo de um advogado.

– Pouco me importa se ele é o Príncipe de Gales. O homem fez uma promessa a você e não está aqui para cumpri-la. Isso faz dele um bastardo. Um bastardo atrasado, ainda por cima.

– Ele não está atrasado, Sebastian – ela fez uma pausa. – Ele não vem.

– Impossível.

– É deveras possível. Na verdade, é evidente. Ele não está aqui, nem ninguém da família. – Mary soltou um suspiro derrotado. – Deve ter mudado de ideia no último minuto.

– *Mudado* de ideia? Que tipo de idiota mudaria de ideia quanto a se casar com você?

– Um que queira uma esposa diferente, eu suponho. Alguém menos opinativa, mais maleável. Você, melhor do que ninguém, sabe que posso ser difícil.

Difícil? Em se tratando de Mary, a única dificuldade que ele tinha era manter distância.

Não era difícil, entretanto, entender por que um homem mais fraco poderia achá-la intimidadora. Mary sempre fora mais esperta que Sebastian e Henry juntos. Era forte e confiante, afinal ter perdido a mãe tão cedo não lhe deixara opção.

E ela era passional. Se acreditava em algo, defenderia seu ponto de vista com unhas e dentes, sem jamais recuar. Ela acreditava que mulheres deviam ter direito ao voto, que prisioneiros deviam receber rações melhores, que viúvas de soldados mortos em combate deviam receber pensão. E que os filhos de beberrões jamais deveriam passar o Natal sozinhos.

Um homem tinha de ser muito otário para deixar uma mulher dessas escapar.

– Já chega! – ela exclamou. – Vou procurar o pároco e avisá-lo de que o casamento foi cancelado.

– Oh, mas você não vai mesmo. Eu vou achar esse patife e trazê-lo aqui nem que seja à força.

– Não quero me casar com um homem que tem de ser arrastado até o altar. Mesmo do alto de meu orgulho ferido, acho que mereço mais do que isso.

– Claro que você merece. Sempre mereceu mais que Giles Perry para começo de conversa. Mas ele te pediu em casamento e você aceitou. E ele vai honrar o pedido, ou não me chamo Sebastian.

– Sebastian!

– Está bem – ele maneirou. – Não vou arrastá-lo até aqui. Eu o *convidarei* a honrar a promessa que fez a você.

– E se ele não aceitar o convite?

Sebastian parou subitamente e se virou para Mary, encarando-a com seus brilhantes olhos azuis.

– Então nós dois acertaremos as contas.

– Um duelo? – O coração de Mary parou por um segundo. – Oh, não. Você não se atreva.

– Oh, mas eu me atrevo, sim.

Ele a encarou com seu clássico olhar, autoritário e teimoso ao mesmo tempo. Mary já vira homens feitos sucumbirem perante aquele olhar. Não ajudava o fato de ele ter a constituição de um guerreiro viking, alto e de ombros largos, como se tivesse sido talhado em bronze. Ele transpirava rigidez. Em todas as partes.

Pelo menos, as partes externas.

– Esse olhar não funciona comigo – ela disse. – Eu te conheço bem demais.

– Não tão bem assim, Mary.

– Já te vi aninhar um pardal na palma da mão e alimentá-lo com uma caneta-tinteiro.

Sebastian jogou a cabeça para trás e soltou um gemido.

– Isso foi há um milhão de anos.

– Purê de minhocas, três vezes por hora, durante *dias*.

– Resgatar aquela coisa foi ideia do Henry, não minha.

– Mas foi você quem levou a ideia a cabo. O pobre passarinho pensava que você era a mãe dele, lembra?

Ela começou a dar leves beliscões em seu braço.

– Piu, piu, piu...

– Pare.

Mary recolheu a mão.

– Só estou querendo dizer que, se você tinha qualquer esperança de me intimidar, ela morreu naquele verão. Portanto, nem pense em duelar. Você não é o tipo de homem que mata outro a sangue frio.

– Sua honra deve ser defendida. Perry já adiou esse casamento duas vezes.

– Ele adiou o casamento uma vez – ela o corrigiu. – Da segunda vez, eu estava de luto. Não foi culpa dele.

– Não, não foi culpa dele – Sebastian concordou com um murmúrio amargo. – Foi minha.

Mary se repreendeu mentalmente. Queria não ter mencionado esse episódio.

– Você precisa parar de se culpar. Era a guerra; homens morrem. Você não foi responsável pela decisão de Henry se alistar.

– Talvez não. Mas quando ele foi morto, me tornei responsável por você.

– Eu tenho quase 28 anos. Acho que já sou bem grandinha para ser responsável por mim mesma. E posso ter sido abandonada no altar, mas não estou de coração partido. Giles e eu tínhamos um ao outro em alta estima, mas não éramos almas gêmeas. Vou sobreviver.

– Sim, mas não a sua reputação. Você sabe o que as pessoas dizem quando um longo noivado é desfeito. Vão dizer que você... bem, que vocês dois... – Ele balançou as mãos no ar. – Me ajude aqui. Como posso dizer de um jeito respeitoso?

Mary se viu subitamente curiosa sobre os jeitos desrespeitosos de dizer. Mas isso seria assunto para outra conversa.

– Vão deduzir que antecipamos as núpcias.

– Sim – ele concordou aliviado. – Isso mesmo.

– Eu não tenho como impedir as pessoas de fofocarem.

– Será a sua ruína. Você não tem dinheiro nem conexões para abafar sequer o início de um escândalo. Se não se casar com Perry hoje, talvez nunca mais se case.

– Estou ciente disso.

Dolorosamente ciente. Ser uma solteirona não era a mais atraente das perspectivas, não só porque ela sempre sonhou em se apaixonar, construir um lar e ter filhos, mas principalmente porque, desde que Henry se fora, a modesta fortuna da família havia passado a um primo de terceiro grau. Até agora, o primo tinha sido empático e generoso, mas se ele mudasse de ideia a situação econômica de Mary rapidamente se tornaria tenebrosa.

– E quanto às suas causas políticas e todas aquelas organizações de caridade? – Sebastian perguntou. – Sei o quanto são importantes para você. Se perder sua boa reputação, perderá também sua influência.

Outro golpe, e esse a atingiu em cheio. Mary deu de ombros, tentando se mostrar indiferente.

– Pode ser que eu tenha de abrir mão da minha condição de integrante na Sociedade de Damas pela Justiça Social, mas tudo bem, as reuniões eram mesmo um tédio.

– Eu cuido disso – garantiu Sebastian. – Assim que estiver sob a mira da minha pistola, ele vai reconsiderar. Não se preocupe.

Não se *preocupe*? A única emoção que ela conseguia sentir era preocupação. As chances de Giles matar Sebastian em um duelo eram ínfimas, mas não eram inexistentes.

– Sebastian, não permitirei que arrisque sua vida por mim. Não por isso.

– Eu *daria* a minha vida por você. Sem nem pensar duas vezes.

Minha nossa! Finalmente ela ficou sem resposta. Ele tirou o seu fôlego. Mary já havia perdido o pai e depois o único irmão, não suportaria perder Sebastian também.

– Escute aqui, não me casarei com Giles. Jamais. Mesmo se você o encontrasse e o obrigasse a pedir clemência sob a mira de sua arma e o trouxesse a esta capela dentro de 15 minutos, ainda assim eu me recusaria. E agora? Você também vai me ameaçar com a pistola?

– Claro que não – ele resmungou. – Não posso te forçar a se casar com ele.

– Ótimo. Está resolvido, então. Uma solteirona é o que hei de ser. – Ela ajustou a postura. – Agora se me der licença, preciso explicar ao pároco.

Sebastian a segurou pelo braço.

– Não, não dou licença. Você não vai explicar nada ao pároco, e tampouco será uma solteirona. Você vai se casar comigo.

Capítulo 2

Sebastian não esperava que Mary aceitasse bem sua proposta. E ele estava certo.

– O *quê*? – ela guinchou.

– Você precisa se casar com alguém e, se não vai se casar com Perry, vai se casar comigo. É o único jeito.

– Não é, não. – Ela franziu o cenho.

– É o único jeito que eu permito. Sei o quanto seu dote é pequeno. Você não será solteirona e pobretona se eu puder evitar. E eu posso.

– Se é com dinheiro que está preocupado, você poderia muito bem me conceder algumas libras. Decerto não lhe fariam nenhuma falta.

– E torná-la um alvo para caçadores de fortuna inescrupulosos? Nem por cima do meu cadáver!

– Meu Deus! Que péssima opinião sobre a minha capacidade de escolher pretendentes.

Sebastian deu um passo para trás e começou a procurar pelo cômodo de maneira exagerada.

– Não encontro em lugar algum o último homem que você escolheu para se casar.

Ao vê-la se retrair, se arrependeu de seu tom áspero. Não queria magoá-la. Mary merecia ser cortejada por uma legião de homens e venerada pelo sortudo que fosse por ela escolhido. O mundo em que viviam, no entanto, não era justo. Aquele maldito Perry seguiria levando uma boa vida e Mary pagaria o preço – com suas perspectivas, sua reputação, seus amigos e sua influência.

– Eu sei que está encarando tudo isso como um problema que você tem de resolver – ela suspirou – agora que Henry se foi. Mas meu irmão também queria o melhor para você e não gostaria de te ver jogando seu futuro fora em um ato errôneo de lealdade.

– Minha lealdade não é errônea. De fato, não poderia ser *mais* certeira. Eu não estou comprometido com ninguém – ele prosseguiu, querendo evitar a doçura nos olhos dela. – Quanto à sugestão de que eu estaria jogando fora meu futuro, nem sequer a dignificarei com uma resposta.

– Eu não estou desamparada, Sebastian.

– Sei que não está. Mas esta é a melhor solução. Ninguém a culpará. Isso é exatamente o que a sociedade espera de mim: raptar uma noiva do altar. Eu sou um canalha sem vergonha.

– Não, você não é.

– E você será uma lady – ele prosseguiu, recusando-se a dar ouvidos àquele argumento. – E eu sempre soube que mais cedo ou mais tarde precisaria de uma esposa.

– Mas... eu sou muito velha – ela desabafou.

– Você não é velha.

– Sou mais velha que você.

– Dois anos.

– Quase três. Todo mundo quer uma noiva mais nova.

– Eu não sou todo mundo.

– Sim – ela concordou com um suspiro –, já notei.

Bem, ele já tinha feito muito mais do que apenas notar Mary. Ela havia atraído sua atenção desde o primeiro momento em que a vira, e justamente porque era *mais velha*. Era mais espirituosa e interessante do que as garotas de sua idade. Para não mencionar sua figura feminina que tinha sido uma fonte de tentação e tormento. Quanto a esse assunto...

– Só tem um detalhe de que você precisa saber... – ele começou. – Eu sou um lorde, ainda que desgraçado. A propriedade da família ainda está vinculada ao regime de morgadio[1]... – ele fez uma pausa. – O que significa que preciso de um filho, um varão. E, para isso, nós teremos de... – Mais uma vez ele tentava achar o termo adequado.

– Dividir a cama.

---

[1] "Entail" no original. Tratava-se de um instrumento jurídico muito comum na Inglaterra da época para não dividir bens. O morgadio vinculava uma propriedade familiar ao primeiro herdeiro varão de uma família. Na ausência de tal, o patrimônio era obrigatória e automaticamente repassado ao primeiro herdeiro masculino, mesmo que este fosse um parente distante. É por isso que, após a morte de Henry, a herança da família Clayton é repassada para o primo em vez de ficar com Mary. (N. T.)

– Você sabe o que isso significa?

Sebastian desconfiava que alguém já teria contado a ela sobre essas coisas, mas queria estar absolutamente convicto de que ela sabia exatamente no que estava se metendo. Para ele, é claro, as obrigações carnais de modo algum seriam obrigações. Não era a primeira vez que fantasiava em fazer amor com Mary.

Quem ele queria enganar? Tinha imaginado essa cena centenas de vezes. Até já *sonhara* com ela muito tempo depois que tinha deixado de sonhar com o que quer que fosse.

– Eu sei o que significa dividir a cama no matrimônio – ela admitiu com a mais pura inocência. – O marido beija a esposa na boca e ela engravida.

Sebastian ficou sem ação, silenciosamente entrando em pânico. Mary começou a gargalhar.

– Eu sei como as relações carnais funcionam, Sebastian. Mesmo que nunca as tenha experimentado.

Graças a Deus.

– Então você está ciente de que para conceber uma criança, nós teremos de... fazer aquilo. Pelo menos uma vez. Possivelmente várias vezes. E, mesmo assim, a criança pode ser uma menina. Nesse caso, teremos que começar tudo de novo. Mas, eu prometo, não faremos mais do que o necessário e somente quando você estiver pronta.

– Você está se adiantando – ela balançou a cabeça. – Está colocando a carruagem na frente dos cavalos. Neste exato momento, tenho de anunciar que *este* casamento não vai acontecer. Após um intervalo apropriado, pelo menos alguns meses, podemos retomar essa discussão. Se você não tiver desistido dessa ideia e se eu concordar, então podemos anunciar o noivado. Quem sabe até um casamento para outubro.

– Inaceitável.

– Então para o Natal.

– Nem pensar. – Agora que tinha conseguido convencê-la, não daria meses para que ela pudesse mudar de ideia. – Nós vamos nos casar hoje!

– Hoje? – Mary repetiu. Ele havia passado o ponto da determinação, já beirando o da loucura.

Sebastian percorreu a sacristia, recolhendo seus pertences. Flores, véu, xale.

– Presumo que seus baús já estejam prontos.

– Estão lá fora, na carruagem que Giles alugou. Partiríamos para a lua de mel logo após a cerimônia.

Ainda bem que planejaram apenas uma pequena cerimônia religiosa, sem café da manhã de casamento. Pelo menos não haveria muitas testemunhas da humilhação de Mary.

– Então está resolvido. E você já está usando um vestido.

– *Não podemos* nos casar hoje – ela declarou, lembrando que era filha de um advogado e possuía mais do que somente familiaridade com a lei. – Não temos uma licença, e os proclames não foram lidos. Simplesmente não é possível. Aí está!

Sebastian parou e considerou o que ouviu.

– Tem razão. Precisaremos de uma licença especial, o que significa que iremos a Canterbury e nos casaremos por lá.

– Oh, céus! Você perdeu a cabeça. Só pode ser.

– Meus pais estão mortos, assim como os seus. E agora Henry também. Não temos familiares para comparecer à cerimônia. Nem para se opor.

– *Eu* me oponho! – ela exclamou de braços abertos. – Aqui estou, diante de você. Em oposição.

– Você não está se opondo com base em fundamentos sensatos. Só está sendo do contra.

– E você está agindo no calor da hora.

– Não estou agindo no calor da hora. Estou acostumado a tomar decisões apressadas, por vezes implacáveis. Caso contrário, minha propriedade teria ido à falência anos atrás. Mas nunca tive motivos para me arrepender de seguir meus instintos.

– Ainda – ela disse, arqueando a sobrancelha.

Ele pegou a mão de Mary e a guiou pela porta da sacristia, conduzindo-a apressado à carruagem que esperava do lado de fora.

– Eu tenho uma propriedade no litoral. Um chalé simples, mas muito bem localizado nos penhascos próximos a Ramsgate, a algumas horas somente de Canterbury. É o lugar ideal para passar uma semana ou duas longe de Londres e evitar fofoca.

Fofoca. Minha nossa, e como haveria fofoca.

Bem, já que fofocariam sobre ela, Mary decerto preferia que fosse por ter sido raptada por um cafajeste sensual e sem princípios do que por ter sido abandonada no altar por um filhinho de papai de um advogado. Apaixonado era melhor do que apático.

– Se partirmos agora – Sebastian continuou –, chegaremos ao chalé ao cair da noite. Eu vim para cá com Shadow, então cavalgarei com ele até lá. Mas estarei bem ao lado da carruagem durante todo o percurso.

Sebastian a ajudou a entrar na carruagem, então conferenciou brevemente com o cocheiro, pagando-lhe uma bela propina, Mary supôs. Ele nunca fora de titubear, mas nunca o tinha visto tão decidido. Não desde que anunciara que havia comprado uma patente de tenente e iria para a guerra.

– Sebastian, espere. – Ela escancarou a porta da carruagem.

Ele se virou com relutância.

– E quanto ao amor? – ela lhe perguntou baixinho. – Você não quer se casar por amor?

– Prefiro me casar com alguém em quem confio.

– Amor e confiança andam de mãos dadas.

– Nunca andaram na minha família.

Mary sentiu um aperto no coração quando ele disse isso. A primeira vez que ele tinha vindo para casa com Henry depois da escola, estava tão desconfiado e retraído... Envergando uma armadura invisível tão pesada que quase fazia barulho quando ele andava.

Com o passar dos anos, foi ficando cada vez mais à vontade em sua casa, revelando mais e mais de si mesmo. Baixando a guarda.

Mas depois da guerra – depois da morte de Henry – tudo mudou. Ele se fechou novamente em sua fortaleza e ela não sabia como alcançá-lo. E temia que ele nunca mais deixasse alguém se aproximar o bastante para tentar.

– Você tem sido tão bondoso comigo. E eu sou tão grata, mais do que imagina. Mas não precisa fazer isso. Talvez eu descubra que gosto de ser uma solteirona ou, quem sabe, posso encontrar alguém que goste de mim o bastante para me desposar apesar do escândalo.

– Você já encontrou, Mary. Está olhando para ele.

No silêncio que se seguiu a estas últimas palavras, ambos estavam completamente imóveis.

– Se você pensa que estou sendo altruísta, posso garantir que não estou. Não fui capaz de manter Henry vivo, e esse fracasso vai me assombrar até o dia em que eu morrer. Você *precisa* me deixar te proteger, ou não saberei como conviver com minha consciência. Terá meu título e minha riqueza à sua disposição. No papel de uma lady abastada, poderá se dedicar a qualquer causa que desejar. Com exceção de me dar um herdeiro, não terá de me dar satisfação alguma de sua vida. Deixe-me protegê-la. É tudo o que eu peço.

Como poderia dizer não? Mary vasculhou todos os compartimentos de sua mente à procura de uma última objeção, mas voltou de mãos vazias.

Não completamente vazias, pois a mão de Sebastian estava sobre a sua. Se o desposasse, nunca mais estaria sozinha. E ele também não.

Por Deus... Ela realmente estava prestes a se tornar Mary Ives, Lady Byrne.

Apertou suavemente a mão dele antes de soltá-la.

– Tenha cuidado na estrada.

Não foi exatamente o casamento que Mary esperava.

Não, foi muito mais grandioso. E muito mais romântico.

Mesmo considerando a fuga apressada, a falta de convidados e o vestido de noiva todo amarrotado da viagem, o cenário era inegavelmente encantador. A beleza altiva da catedral, a solenidade do sacerdote em suas vestes, a fumaça perfumada do incenso. Os últimos raios de sol se infiltravam pelos vitrais coloridos, derramando-se pelo chão e tingindo-o em tons de azul e vermelho.

Era uma cena mágica, atemporal.

E ela tinha o mais bonito dos noivos. Sebastian nunca esteve tão lindo. Ele combinava perfeitamente com o cenário medieval, tal qual um cavaleiro em uma armadura invisível, pronto para partir em uma jornada impossível. Mary não tinha certeza de seu papel nessa história... seria a donzela que ele queria conquistar, ou seu noivado desfeito o dragão que ele tinha de matar? Sua mandíbula contraída não dava pistas.

Assim que o sacerdote iniciou a cerimônia, as palavras ecoaram sobre ela em um murmúrio. A parte de Sebastian veio primeiro e ele quase atropelou as palavras do padre com seu decidido "Aceito". Sem hesitar.

Então o sacerdote se virou para ela:

– Mary Elizabeth Clayton, você aceita este homem por seu legítimo esposo, para viver com ele sob a divina ordenação do Senhor na sagrada instituição do matrimônio?

Ela concordou. Até ali, tudo soava aceitável.

– Promete ser-lhe obediente...

Ah, não!

– ...e submissa...

Ela se arrepiou.

– ...amá-lo, honrá-lo, respeitá-lo, ampará-lo na saúde e na doença, e, renunciando a todos os outros, guardar-te apenas para ele, enquanto ambos viverem? Se promete, diga "Aceito".

Mary hesitou.

– Se promete – o sacerdote repetiu, enfatizando as palavras –, responda "Aceito".

Mas ela não era capaz de verbalizar. Não ainda.

– Eu não tenho que fazer isso, sabe – ela dirigiu-se diretamente a Sebastian. – Eu tenho escolha.

– Que escolha? Tornar-se uma solteirona arruinada vivendo às custas de uma renda minguada?

– Não seria tão ruim quanto você faz parecer. Pelo menos, eu seria livre para fazer o que bem entendesse.

– Mary – Sebastian replicou em voz baixa –, aqui não é hora nem lugar para discutir.

– Não estou discutindo. Será que você pode me ouvir por um minuto?

– Não vejo sentido em levar essa conversa adiante.

– Bem, eu vejo – ela o afrontou. – Quando tenho algo a dizer, gosto de ser ouvida. Especialmente pelo homem que será meu marido.

– De jeito nenhum vou levá-la de volta para...

– Hum, hum – pigarreou o sacerdote, aborrecido. – Podemos retomar a cerimônia?

– Eu estou financiando uma nova capela – Sebastian rebateu. – Você pode esperar até que minha noiva e eu terminemos de deliberar.

Mary achou a atitude protetora e rabugenta estranhamente amável, ainda mais considerando que vinha sob a ameaça de condenação divina.

– Estou fazendo uma escolha, Sebastian. Isso significa que estou levando a sério tudo o que estou dizendo. Quando fizer esses votos, será por minha livre e espontânea vontade. Eu estou escolhendo *você*.

Um observador desavisado jamais perceberia, mas Mary sabia que suas palavras tiveram um impacto profundo. A tensão se esvaiu dos ombros dele, e em seus olhos, subitamente, viu uma centelha de doçura.

Por um momento, ao menos, o guerreiro havia baixado o escudo. Ela se dirigiu ao padre.

– Estou pronta agora.

– Então diga "Aceito".

Olhando no fundo dos olhos de seu noivo, ela disse:

– Eu aceito.

O restante da cerimônia foi breve, em parte porque não havia alianças. Sebastian não tinha sequer um anel gravado com o brasão de sua propriedade. Jamais havia usado nada que pertencera ao pai, muito menos algo assim.

Eles trocaram votos e fizeram uma ou duas orações e, antes que Mary se desse conta, a cerimônia tinha chegado ao fim.

– Eu vos declaro marido e mulher.

Pronto. Estavam casados.

Sebastian inclinou-se como se fosse beijá-la, mas então pareceu mudar de ideia. Ela teria suspeitado que ele havia perdido a coragem, se não soubesse que Sebastian era constituído de pura coragem para começo de conversa.

Em vez de beijá-la, ele roçou os lábios em sua bochecha e então sua têmpora na dela. Um gesto de ternura de certa forma mais íntimo que um beijo.

– Eu vou cuidar de você – ele sussurrou. – Para sempre.

– Sei que vai – ela sussurrou de volta.

Mary não tinha a menor sombra de dúvida de que Sebastian a proveria até mesmo na mais ínfima de suas necessidades e que a protegeria com a própria vida. Mas ele decerto cairia do cavalo se achasse que ela não pretendia fazer o mesmo.

Sebastian precisava de compreensão, acolhimento, família e amor – e ela também precisava de tudo isso.

Este enlace não seria um arranjo prático, tampouco uma medida para que ele ficasse em paz com a própria consciência.

Seria um casamento.

E este casamento começaria naquela noite.

Capítulo 3

À hora que partiram de Canterbury, o crepúsculo engolia a luz do dia e nuvens de tempestade se avolumavam no horizonte. O cocheiro não gostou nem um pouco quando Sebastian lhe disse que viajariam a Ramsgate mesmo com o tempo ruim, mas algumas moedas resultaram em uma significativa melhora em seu humor.

Na metade da jornada, tanto a chuva quanto a noite caíram. Então o cavalo de Sebastian perdeu uma ferradura, reduzindo o progresso a uma caminhada. Quando finalmente chegaram ao chalé, as janelas estavam escuras. Ninguém saiu para recebê-los. Horário do campo, ele ponderou. Talvez as pessoas se deitassem com o pôr-do-sol por aqui.

Sebastian desmontou de Shadow e conduziu a montaria cansada ao estábulo – que tinha a aparência e o cheiro de que não era usado há anos. Felizmente, o cavalo fora alimentado e hidratado em Canterbury. Qualquer feno disponível no celeiro decerto estaria apodrecido.

Após cuidar de seu cavalo, Sebastian bateu na porta da frente do chalé.

Ninguém respondeu.

Naturalmente, ele tinha a chave do lugar, só não a carregava consigo. Ela estava em um cofre embaixo da escrivaninha em sua casa em Londres. E, quando saíra de lá esta manhã, não tinha outra expectativa além de ferver silenciosamente de raiva enquanto assistia Mary se casar com outro homem. Jamais poderia imaginar que à noite estaria postado diante desse chalé de pedra na costa de Kent, casado ele mesmo com Mary.

Quando outra rodada de batidas não teve resposta, ele chacoalhou a porta para avaliar a força do ferrolho. Já estava meio solto, fato que o teria enfurecido fossem as circunstâncias diferentes. Esta noite, no entanto, este exemplo particular de casario desleixado era uma bênção. Um chute rápido e o ferrolho cedeu.

Isto resolvido, ele disparou de volta para a carruagem. Primeiro precisava desamarrar e descarregar todos os baús de Mary antes que ficassem totalmente ensopados. Após levar a bagagem para dentro do chalé, correu de volta para a carruagem.

– Coloque suas mãos em volta do meu pescoço! – ele gritou em meio à chuva. – Vou te carregar.

– Posso andar.

Sebastian não tinha tempo para isso. Ele a pegou no colo e a retirou da carruagem sem mais delongas e, aninhando-a contra o peito, carregou-a para o chalé.

– Você não precisava ter feito isso – ela protestou assim que foi colocada no chão.

– O chão estava muito molhado e enlameado.

Ela deu um sorriso irônico.

– Tudo bem se sujar a barra do meu vestido. Não tenho planos de usá-lo novamente.

– É nossa noite de núpcias – ele respondeu. – Na noite de núpcias, o noivo carrega a noiva no colo pelo limiar da porta. Considerando como tudo foi feito às pressas e no improviso, e que nem ao menos uma aliança eu tinha para lhe dar, achei que pelo menos uma coisa eu poderia fazer bem feita.

– Sebastian! Isso é absurdamente meigo.

Meigo? Foi isso mesmo que ela disse? Minha nossa...

Lá fora, o cocheiro atiçou as rédeas e partiu noite afora.

Sebastian recolocou a porta no lugar e encostou uma cadeira para mantê-la fechada. Mary achou um fósforo e o utilizou para acender uma vela, permitindo que eles tivessem uma visão apropriada do chalé. Então xingou. O lugar estava caindo aos pedaços. Já vira galinheiros em condições mais habitáveis.

– Há quanto tempo você não visita este lugar? – Mary perguntou.

– Anos. Mas teoricamente era para ter um caseiro vivendo aqui com a esposa. Pelo menos, estou pagando o salário de um caseiro. Não esperava que o lugar estivesse um brinco, mas isso?

Ele bateu em uma teia de aranha.

– Pelo menos não estamos na chuva.

Exceto pelo fato de que eles não estavam verdadeiramente livres da chuva.

Quando Sebastian reparou na goteira no telhado de palha, uma gota gelada lhe acertou bem em cheio no olho. Poucas horas antes, postara-se perante um homem de Deus e jurara proteger Mary enquanto ambos vivessem. Tinha começado de um jeito nada promissor.

– Vamos para uma pousada – declarou.

– Como? O cocheiro já partiu. Shadow perdeu uma ferradura. E não me lembro de ter visto nenhuma pousada quando passamos pela vila.

– Bem, aqui não podemos ficar.

– São só algumas goteiras, um pouco de poeira e uma porção de teias de aranha. – Ela deu uma conferida ao redor do lugar, iluminando com a vela. – Este cômodo ao lado da cozinha não foi tão negligenciado. Pelo menos, está seco. E tem uma cama. Tenho lençóis limpinhos e uma colcha nos meus baús. São parte do meu enxoval.

Ele passou a mão pelos cabelos molhados.

– Permita-me ao menos ir até a vila para arranjar algo para comermos.

– Oh, mas você não vai mesmo. Não vou ficar sozinha aqui neste lugar. – Ela pegou uma grande cesta que ele havia trazido da carruagem e a colocou sobre a mesa da cozinha. – A irmã de Giles disse que nos prepararia um agradinho. Bem, não para *nós*... ah, você entendeu.

Sim, Sebastian tinha entendido. E odiou imaginar que, se ela tivesse desposado aquele pedante, agora estaria aquecida, seca e alimentada. Mary abriu a cesta:

– Temos uma garrafa de vinho. Começamos bem. E... – Ela abriu um pacotinho enrolado em papel pardo. – Bolo!

Sebastian olhou para aquilo. Não era apenas bolo. Era bolo de *casamento*.

De repente, perdera a fome.

Mary partiu um pedaço do bolo e deu uma mordida generosa.

– Sobreviveremos até de manhã – disse de boca cheia. – Ficaremos bem.

Não que eles tivessem muita escolha.

– Tem certeza de que não quer um pedaço? – Ela deu outra mordida no bolo e depois lambeu os dedos. – Está gostoso.

Sebastian recusou dizendo:

– Vou acender o fogo; você arruma a cama.

Enquanto ela desafivelava as tiras do baú, Sebastian tirou o casaco e arregaçou as mangas até os cotovelos. Vasculhou a cozinha atrás de lenha e achou uma quantidade irrisória de toras. Nem de longe o suficiente para manter uma chama acesa a noite inteira.

Aventurou-se mais uma vez na chuva e deu a volta ao redor do chalé até achar uma pilha ínfima em um abrigo caindo aos pedaços. As toras no topo da pilha estavam encharcadas, boa parte do restante estava apodrecida. Quando colocasse as mãos no caseiro, faria o sujeito pagar por deixar sua propriedade em tal estado de negligência.

Procurou algumas das toras mais secas da pilha e pegou o machado para parti-las. Firmou os pés na lama e desferiu seu melhor golpe, mas, na hora de levantar a lâmina, o cabo se partiu bem na sua mão. Sebastian cambaleou para trás e caiu sentado.

Maravilha! Agora estava ensopado de chuva *e* coberto de lama. Carregou uma braçada de toras não cortadas para o chalé e, postado na entrada, chacoalhou-se tal qual um cachorro, lançando respingos de lama em todas as direções e arrancou as botas antes de se agachar para acender o fogo.

Deu um pouquinho de trabalho, mas, enfim, conseguiu acender uma chama respeitável. Um calor gostoso logo se espalhou pela cozinha; se deixassem a porta aberta, bastaria para aquecer o outro cômodo também.

– A cama está pronta – ouviu Mary dizer às suas costas.

Sebastian acrescentou mais algumas toras ao fogo, colocou-se de pé e se virou.

Senhor amado!

Mary estava diante dele, vestindo um mero robe de renda branco-neve. Ele não conseguia nem falar. O gato não tinha comido só a sua língua, mas toda e qualquer outra parte de seu corpo que não fosse olhos, coração, sangue e um pau duro.

Onze anos, quatro mil dias. Em quantos desses quatro mil dias ele a imaginara nua? Mais do que jamais admitiria. E ali estava ela, diante de si, vestindo o equivalente em seda dos trajes de Eva, apenas raminho e uma folha de figueira.

Mais bonita do que em seus mais loucos devaneios.

Mary havia soltado os cabelos e escovado os cachos castanho-avermelhados que agora cascateavam sobre seus ombros. Seus lábios estavam rubros do vinho.

E seus mamilos eram de um cor-de-rosa intenso. Sempre imaginara que seriam rosados. E que teriam o sabor de tortinhas de creme, o que só agora ele percebia que era bizarramente específico.

– O que... – ele finalmente conseguiu gaguejar – ...é *isso*?

– É... uma camisola.

– É uma teia de aranha. Tem mais buraco que tecido! Você já está tremendo.

Para não mencionar os mamilos rosados mais duros que dardos.

– Você não tem nada mais simples e prático para vestir?

Mary envolveu os braços em torno de si mesma.

– São todas assim...

Claro que eram todas assim. Ela se preparara para uma lua de mel. Com outro homem.

Ele era um monstro. Ela devia estar com frio, exausta e tomada por emoções conflitantes. Mesmo que seu coração não estivesse partido, seu orgulho estava ferido. E, considerando aquele robe, ela devia ter criado expectativas pela noite de núpcias com Perry. Em vez disso, ali estava ela em um buraco infestado e caindo aos pedaços. Com ele. Que ainda por cima estava pegando no pé dela por conta de seus trajes de dormir.

Mas você está mesmo de parabéns, Sebastian.

Mary cruzou a sala e foi até ele.

– Agora, anda! Tire já essas roupas.

Ela puxou a bainha da camisa de Sebastian para fora da calça.

– *Mary!* – Ele deu um passo para trás. – Eu não... Nós não... Hoje não.

Ela inclinou a cabeça e o encarou.

– Você está molhado até a alma e todo melecado de lama. Não estou sendo fogosa ou assanhada, estou apenas protegendo meus bordados. Trabalhei duro nessa roupa de cama, como você bem sabe. Portanto, tire suas roupas e deixe-as junto ao fogo para secar.

– Eu vou dormir no chão.

– Não seja ridículo. Não vou deixar você dormir no chão.

– Não tem nada de mais. Dormi em condições muito piores quando estava em campanha.

– Aqui não é o exército, Sebastian. Temos uma cama em perfeitas condições.

– Exatamente. Cama, no singular. Não camas.

– Nós *somos* marido e mulher – ela provocou. – Foi o que o padre disse.

Mulher. Ela era sua *mulher.*

– Sei que sua intenção era cuidar de mim, mas agora que estamos casados, também vou cuidar de você. E você não vai dormir no chão. – Ela o puxou pelo pulso. – Além disso está frio e eu não quero ficar sozinha.

Muito bem. Agora ela o pegou. E, com aquela camisola, pegou de jeito. Ele estava duro como granito... Seria uma noite muito, muito longa.

– Vá para a cama, eu já vou – ele cedeu, enfim. – Deite-se do lado mais perto da cozinha; estará mais quente.

Sebastian esperou até ouvir Mary deslizar para baixo da colcha para só então livrar-se apressadamente das roupas molhadas, jogando-as sobre uma cadeira perto do fogo. Conforme esgueirou-se para o quarto, procurou ficar às sombras. Não por vergonha, mas para não deixá-la alarmada. Ele era um sujeito um tanto quanto bem constituído, em todos os sentidos. Mulheres experientes pareciam gostar bastante de seu corpo, mas não tinha ideia de como uma virgem reagiria.

Deitou-se ao lado dela, cruzou os braços e fechou os olhos. Mary aninhou-se junto dele. Sebastian afastou-se e ela se aconchegou a ele mais uma vez.

– Me abrace. Você está tão quente, e eu não consigo parar de tremer.

Com um suspiro pesado, ele passou um braço ao redor dos ombros de Mary, tomando cuidado para manter seus corpos afastados da cintura para baixo.

– Não quero te esmagar.

– Como poderia me esmagar? Você está do meu lado. Não em cima de mim.

Ele soltou um gemido. *Pare de me dar ideias.*

– Você está recuando de novo – ela acusou. – Por acaso sou tão detestável assim?

– Longe disso.

– Qual é o problema então?

Muito bem. Não diga que você não pediu.

Ele rolou de lado, para ficar de frente para Mary, puxou-a para junto de si e projetou sua ereção contra a barriga dela.

– Pronto. Espero que isso responda à sua questão.

– Oh... – ela engoliu em seco. – Você estava querendo...

– Dedicar-me a edificantes atividades comunicativas? Não! – ele a soltou. – De jeito nenhum.

– Você também não precisa ser tão fervoroso.

– O corpo de um homem tem vontade própria. Especialmente quando o homem em questão está na cama, nu, ao lado de uma bela mulher. Uma mulher trajando nada mais que um fio de renda, que não para de roçar seu corpo no dele – Ele deu um suspiro pesado. – Mas não quero que fique ansiosa. Vamos esperar até que você esteja pronta. Ainda que isso signifique semanas, meses, até mesmo anos. Não vou te apressar.

Mary permaneceu em silêncio por um momento, então desatou a rir.

– O quê?

– Você não quer me apressar? – A cama chacoalhou com a vibração da risada. – Logo o homem que me sequestrou de manhã, casou-se comigo de tarde e me instalou nesse chalé remoto à beira-mar à noite. Mas você não quer me apressar. Oh, Sebastian. Assim também já é demais.

Ele não sabia o que dizer.

– Mas que cenho franzido é esse? – Ela alisou a pele entre as sobrancelhas dele. – Não fique tão carrancudo. Estou só te provocando. Mas talvez você não esteja preparado para ser provocado. Não vou te apressar.

Sem pensar, ele levou a mão aos cabelos dela e os acariciou. Mary aconchegou-se em seu peito.

– Eu me preocupei tanto contigo ano passado. Você é teimoso demais para admitir, mas sei que estava magoado. Seja por causa de Henry ou da guerra ou por algum motivo que não sei... Mas mesmo quando estávamos no mesmo cômodo, você parecia tão fora de alcance.

Sebastian não sabia como responder. Era verdade que estava de luto. Não só por Henry, mas por tantos de seus irmãos de armas. No entanto, não sabia como trazer o assunto à tona e não podia lamentar-se com Mary, que perdera o único irmão. Depois que os pais faleceram, Henry era a única família que lhe restava. Ela estava sozinha.

Ou melhor, *estivera* sozinha. Agora ela estava com ele.

– Vamos dormir – disse-lhe enfim. – Ao raiar do dia, vou te tirar desse lugar miserável.

Mary ergueu levemente a cabeça para olhar para ele.

– Beijo de boa-noite?

Sebastian hesitou.

– É nossa noite de núpcias. Creio que nos devemos, no mínimo, um beijo. Nem que seja apenas para honrar a tradição.

– Está bem – ele encostou os lábios nos dela, dando um beijo puro e casto.

Mas então o diabo tomou conta de seu corpo e o beijo pegou fogo.

A princípio sentiu a doçura amanteigada do bolo. Aquele maldito bolo de casamento que deveria ser compartilhado com outro homem. Ele teve ganas de roubar aquele gosto de sua boca e reduzi-lo a cinzas. Passou a língua pelos lábios dela, explorando, demandando. Deslizou a mão até sua nuca e mergulhou os dedos nos cabelos, inclinando a cabeça de Mary para aprofundar o beijo.

Ela pressionou seu corpo no dele e aquela maravilhosa maciez fez toda a pele dele se enrijecer e seu sangue latejar.

Sebastian sentia a chama do desejo se alastrando como um incêndio. Natural. Selvagem. Descontrolada.

Era para ser um beijo de boa-noite. Um roçar terno de lábios antes de serem embalados pelo sono. Em vez disso, todas as suas fantasias foram despertadas e estavam acordando após tanto tempo enterradas. Rugindo ao serem reavivadas com uma ferocidade que o assustava.

Ele ansiava por explorar cada parte dela com as mãos. Aninhar seus seios em suas palmas, correr seus dedos em seu doce e sensual decote. Queria ela embaixo de seu corpo. De pernas abertas para ele. Pressionada contra a parede. Inclinada sobre a mesa, com toda aquela renda levantada até sua cintura.

Queria ouvi-la gritando seu nome, segurando-o com força. Queria adormecer com seu corpo enroscado no dela, e acordar com Mary em seus braços.

Queria tudo que ela tinha para lhe dar e mais.

Mary, Mary.

Um estrondo metálico sobressaltou a ambos. O beijo se desfez, mas ele manteve Mary junto a si. Duas silhuetas humanas postaram-se no vão da porta entre a cozinha e o outro cômodo.

– Seja lá quem for – anunciou uma voz ameaçadora – melhor preparar-se para morrer!

Capítulo 4

No frio da escuridão, Mary se agarrou firmemente a Sebastian; seu coração se agitava no peito como um coelho assustado.

Descobrindo-se, Sebastian se desvencilhou de seus braços e silenciosamente saiu da cama. Ela percebeu que seus músculos estavam retesados, preparados para uma luta.

– Não tenha medo – murmurou. – Vou te proteger.

Ela respirou trêmula. Claro que ele lutaria para mantê-la a salvo, ele era desprendido assim, mas Mary precisava que ele também permanecesse a salvo. Piscando para ajustar os olhos à luz difusa e bruxuleante do fogo, notou que as silhuetas na porta eram de um homem e de uma mulher. O homem brandia uma arma de cano longo. Um rifle.

Tenha cuidado, Sebastian.

O homem empunhou sua arma. Sebastian levantou-se em toda sua imponente figura, colocando-se entre Mary e a porta. Bem na linha de fogo. Um único aviso ecoou aos intrusos em sua voz de trovão:

– *Vão embora!*

Que Deus nos proteja! A arma tremia nas mãos do sujeito. Tremia de medo e não de raiva, Mary desconfiou. Examinou atenta por trás do torso de Sebastian e... pelo amor de Deus! O invasor empunhava nada mais perigoso que um cabo de vassoura.

– Que espécie de demônio é você?

– Eu é que deveria fazer essa pergunta.

– É o *demo*, sim, senhor! – A mulher exclamou. – Nu que nem o pecado. Constituído como o *póprio* Lúcifer.

– Deem já o fora daqui – Sebastian esbravejou, cada palavra carregada de ameaça. – Os dois. Ou partirei o pescoço de vocês com minhas próprias mãos.

A tensão pairava no ar; ninguém se mexia.

Finalmente, o homem brandindo o cabo de vassoura quebrou o silêncio:

– Fanny, jááá!

A mulher lançou-se num ataque, berrando como uma Valquíria, empunhando um cassetete sobre a cabeça – que mais parecia, Mary reparou, um rolo de massa. Ela bateu no braço de Sebastian.

– Toma, seu coisa-ruim! Excomungado! Volta *pro* fogo *do inferno*!

Sebastian, que não estava nada disposto a bater na mulher, recuou e ergueu os braços para proteger a cabeça, virando de costas para a agressora.

Fanny sassaricava em volta dele, desferindo pancadas em seus ombros.

– Toma isso. – *Tum.* – E isso! – *Pof.* – Eu te esconjuro!

Enquanto isso, o homem permanecia postado à soleira da porta, aparentemente satisfeito em deixar sua parceira lutar pelos dois. Sendo assim, Mary decidiu que duas mulheres podiam disputar essa batalha.

Pulou da cama e jogou-se em cima de Fanny, encurralando-a na parede.

– Pare com isso, sua megera escandalosa!

– Sai de cima de mim, consorte do capeta! Fornicando com o demônio na cama minha e do meu homem.

– Não é o demônio! – Mary achou a orelha da mulher e lhe deu um puxão. – É o seu mestre que você está açoitando.

Fanny perdeu o ar. Ela jogou longe o rolo de massa e, pelo grito de dor que Sebastian deu, Mary deduziu que caíra bem no seu pé.

– Que o Senhor *tem* piedade de nós – Fanny arquejou. – Dick, esse é o *póprio* Lorde Byrne.

– Ex-excelência. – O homem à porta, Dick, Mary supôs, tirou o chapéu e fez uma reverência. – Dick Cross. Sou o caseiro. E esta é minha mulher Fanny.

– Não te esperávamos. Mil desculpas, *milorde.*

– Mil desculpas não chegam nem perto – Sebastian agarrou a colcha da cama e a enrolou ao redor da cintura. – Tente multiplicar esse fator por cem.

– Aritmética nunca foi meu ponto forte, milorde – Dick respondeu embaraçado.

Ignorando-o, Sebastian dirigiu-se a Mary.

– Você está ferida?

– Não, não.

– Sorte a de vocês dois que ela está bem! – ralhou Sebastian com o caseiro e sua esposa.

– Vamos deixar vocês em paz – Fanny recolheu seu rolo de massa e dirigiu-se à porta, puxando o marido consigo. – Sentimos muito mesmo por atrapalhar sua noite de pecado.

– Não é uma noite de pecado.

– Já estamos saindo *pra* deixar o mestre desfrutar a dama dessa noite.

– Mas o que você... – Sebastian bufou de raiva.

– Não, não, não. *Num* se envergonhe – ela acrescentou. – Só Deus pode julgar. Talvez fornicação *num* seja pecado *pras* classes altas. Permissão especial dada pela igreja, sem dúvida.

– Devo dizer que essa daí é uma bem boa – Dick acrescentou. – Bem melhor que as *rapariga* que andam nas docas.

Fanny bateu no marido com o rolo de massa.

– E o que você sabe das *rapariga* das docas?

– *Mim* deixa, mulher. *Num* é da sua conta. O mestre *num* ia se pegar com esse tipo. Acesso a boas mercadorias é o que ele tem.

– Basta! – Sebastian agarrou o caseiro pelo colarinho e o ergueu até que seus pés mal tocassem o chão. – Insulte minha esposa mais uma vez e eu enfio aquele cabo de vassoura no seu traseiro!

– *I-is*... – ele olhou para Mary. – *Isposa*?

– Sim. Minha esposa. Lady Byrne. De hoje em diante.

– Imploro desculpas, *milorde*. *Milady*. Não recebemos nenhuma notícia de que tinha se casado. Nem de que planejava vir aqui à residência.

– Pelo estado desse chalé, vejo bem que não sabiam. Não que isso seja uma desculpa. Imaginem meu desprazer ao trazer minha noiva para uma lua de mel à beira-mar apenas para encontrar o lugar em completa desordem. Vocês deveriam manter a casa sempre em prontidão. Em vez disso, nos deparamos com um lugar imundo e precisando de reparos.

– Nós *num tava se* sentindo bem.

– Oh, eu vou lhe mostrar o que é não se sentir bem.

Mary decidiu interferir, pousando gentilmente a mão no braço do marido.

– Sebastian.

Foi o que bastou; ele diminuiu o tom imediatamente ao gesticular para a porta:

– Deem o fora, vocês dois!

– Sim, senhor. A gente *tá* na cozinha, então.

– Vocês ficarão no celeiro. Amanhã discutiremos a questão de seus empregos... Ou a falta dele.

Assim que o casal se retirou, Mary e Sebastian voltaram para a cama.

Ele a virou para ficarem de conchinha, ela com as costas aninhadas em seu peito, mantendo-a aquecida e segura. Mary foi sentindo as pálpebras ficando pesadas. Minha nossa, que dia. Parecia impossível assimilar tudo aquilo. Um fora, uma fuga, uma lua de mel em um chalé decrépito. E um beijo... selvagem e apaixonado. Se um único beijo era capaz de criar um redemoinho de sensações, ela mal podia imaginar como seria fazer amor com ele. Aquele beijo foi um presságio do que seria a lua de mel, ela pensou. Se ao menos não tivessem sido interrompidos. Mary mordeu os lábios, tentando não rir, mas no fim não conseguiu evitar. Começou a gargalhar.

– O que foi?

– O rolo de massa, a aritmética. Tudo.

– Não é divertido.

– Pelo contrário. É divertidíssimo. Eu nunca fui chamada de consorte do capeta antes. Amanhã você vai rir de tudo isso.

– Duvido.

– Que seja. Talvez você ria disso ano que vem.

Ou quem sabe na década seguinte.

– Vá dormir – Sebastian resmungou.

Capítulo 5

Mary foi a primeira a acordar. O fogo na cozinha já tinha se apagado, e ela se encolheu, aninhando-se no calor do corpo de Sebastian, sentindo a dureza de sua ereção contra a coxa. Ele resmungou um pouco em seu sono, mas, pelo que podia sentir, uma parte dele estava bem acordada. Uma parte bem grande.

Sua região mais íntima também começou a despertar e ela sentiu um premente e ansioso comichão de curiosidade.

Lenta e furtivamente, ajeitou-se para ver o rosto dele, tentando reunir coragem para espiar por baixo da colcha. No entanto, suas investigações carnais foram deixadas de lado ao prestar atenção em sua fisionomia.

Adormecido, Sebastian parecia tão diferente... menos atormentado, mais vulnerável. Passou a mão por sua testa para tirar a mecha de grossos cabelos loiro-escuros e lá estava, a pequena cicatriz logo abaixo da linha de seus cabelos. Lembrava-se da noite em que ele ganhara a ferida...

Mary era a única que estava acordada, sentada na cozinha debruçada sobre alguns documentos e bebericando uma xícara de chá. Sebastian bateu na porta de sua casa, trôpego e bem depois da meia-noite, com um olho roxo e sangue escorrendo da testa até o queixo.

Na mesma hora, Mary deixou de lado o que fazia, limpou as feridas e aplicou um cataplasma no olho roxo. Ele disse que tinha se envolvido em uma briga com um conhecido de Cambridge, mas era tudo balela. E sabia que ela tinha notado a inconfundível correspondência entre a marca de seu corte e o formato do anel de brasão que o pai de Sebastian usava.

E Mary sabia que ele havia notado qual era o trabalho que a mantivera acordada até tão tarde. Ela estava corrigindo os erros em contratos que o pai tinha redigido para um cliente. Foi nessa época que a mente do Sr. Clayton começou a dar os primeiros sinais de demência.

Os dois sempre compartilharam esses pequenos segredos tácitos. E sempre se entenderam nesse silêncio.

Mary depositou um beijo suave sobre a cicatriz.

Sebastian se espreguiçou e bocejou, então abriu os olhos e ficou encarando o teto.

– Tinha a esperança de que esse chalé tivesse sido só um pesadelo – e levantou-se da cama para alcançar suas calças. – Levarei Shadow à vila para achar um ferreiro. Voltarei assim que trocar as ferraduras dele e então partiremos no mesmo instante para Ramsgate. – Ele vestiu a camisa e acrescentou: – Fique na cama, durma mais um pouco.

Mary concordou com um grunhido sonolento e puxou a colcha até o queixo.

Contudo, no segundo que ele fechou a porta, ela saltou da cama. Desenterrou seu vestido mais simples e banal do fundo do baú, vestiu-se apressada e deu uma boa conferida no chalé. Na noite passada, não teve a oportunidade de explorá-lo, com exceção da cozinha e do pequeno cômodo que agora sabia ser o quarto de Dick e Fanny.

O chalé não era grande e tinha sido severamente negligenciado, mas com um pouco de empenho poderia se tornar uma charmosa residência. No andar de baixo, viu que tinha uma sala com uma grande lareira, ideal para noites aconchegantes, e uma sala de jantar nem de longe espaçosa o bastante para uma recepção, mas mais do que suficiente para dois.

Uma biblioteca completava o andar e, até então, era o cômodo favorito de Mary. Prateleiras de livros cobriam as paredes do chão até o teto, e uma maciça escrivaninha de mogno junto à janela lançava um desafio: *Quero ver você tentar me mover.*

Ela não tinha o menor interesse de encarar esse desafio.

Em vez disso, sentou-se à mesa e correu as mãos pela madeira lustrosa. Respirou fundo e seus pulmões se encheram de aromas de couro e tabaco e livros antigos. E uma avassaladora corrente de lembranças se abateu sobre ela.

Aquela biblioteca era tão parecida com a de seu pai.

Henry nunca demonstrou o menor interesse pelas leis, mas Mary adorava observar o pai trabalhando. Quando não conseguia dormir, esgueirava-se para fora da cama e ia na ponta dos pés até o escritório, onde sempre o encontrava lendo atentamente algum livro jurídico ou fazendo anotações em algum contrato. Em vez de lhe dar bronca ou despachá-la de volta para a cama, sentava-a em seu colo e explicava qual era a tarefa que tinha diante de si, qualquer que fosse, em uma linguagem simples, porém jamais condescendente.

Seu pai acreditava que as meninas deveriam receber a mesma educação que os garotos, em todas as matérias e assuntos, e sempre encorajou Mary a formar sua própria opinião e então compartilhá-las com confiança.

E, o mais importante, ele sempre arranjou tempo para ficar com ela.

Infelizmente, seu tempo nessa terra foi muito curto, e ela sentia falta do pai todos os dias.

Engolindo o nó na garganta, deixou a biblioteca e dirigiu-se ao andar de cima, para explorar os quartos do chalé. Eram três ao todo. Dois quartos pequenos e um grande, para o senhor e a senhora da casa.

Abriu a janela e foi saudada por uma vista arrebatadora: o mar azul-turquesa, com a crista espumosa das ondas brilhando sob o sol.

Lindo.

Mary levou a mão ao peito e, no mesmo instante, apaixonou-se por aquele chalé. Era o lugar perfeito para uma lua de mel.

Eles não partiriam para Ramsgate hoje. Não se dependesse dela. No entanto, isso significava que precisaria convencer Sebastian, então não havia tempo a perder.

Do lado de fora do chalé, localizou o poço. Encheu um balde de água e carregando-o com ambas as mãos, em vez de voltar para a casa, seguiu direto e reto para o celeiro, onde encontrou Dick e Fanny Cross roncando em cima de um monte de palha.

Jogou a água sobre os dois:

– Acordem!

O caseiro e a esposa acordaram atabalhoados, tossindo e cuspindo.

– Vocês verão que não sou uma senhora fácil de agradar – Mary disse –, mas, no momento, sou sua melhor amiga. E se nutrem a mais ínfima esperança de manter seus postos, é melhor se levantarem já e prepararem o lombo para trabalho pesado. Entenderam?

– Sim, *milady* – anuiu o caseiro ainda tentando se levantar.

– Ótimo! – Ela jogou o balde aos pés do caseiro. – Podem começar pegando mais água do poço e trazendo para a cozinha. Fanny, providencie vassouras, retalhos, sabão e um pouco de vinagre.

Fanny aquiesceu.

– Este chalé, ou a maior parte dele, *estará* apresentável quando milorde retornar – Mary arqueou as sobrancelhas: – Ou preparem-se para enfrentar a ira da consorte do capeta.

Dentro de uma hora, eles tinham varrido o piso da cozinha e removido as teias de aranha dos cantos. Mary limpou as janelas com vinagre e uma gota de óleo de limão. Dick trouxe ovos do galinheiro e Fanny trouxe pão, um pedaço de bacon e um pouco de manteiga. No armário, Mary achou um pote de conserva e uma caixa de chá trancada com um cadeado. Quebrou o cadeado enferrujado com uma faca e foi recompensada com um pequeno montante de chá ainda utilizável, embora com aspecto velho.

Assim que tinha a chaleira fervendo, ovos e bacon fritos e pão fatiado para torrar, seu cabelo começou a se soltar e gotículas de transpiração se acumulavam em sua fronte. Queria lavar o rosto e se arrumar antes que Sebastian retornasse, mas não teve tempo. O galope dos cascos recém-ferrados de Shadow avisou-a de que seu marido já estava de volta.

Mary afofou o cabelo, desamarrou rapidamente o avental e o deixou de lado. No último segundo, ajustou o buquê de flores silvestres que colhera mais cedo num capricho e o enfiou em um vaso de porcelana.

Assim que Sebastian atravessou a porta, ela entrelaçou as mãos tentando não parecer tão ansiosa quanto se sentia por dentro. Que tolice estar tão nervosa, mas talvez fosse natural. Afinal, era a sua primeira manhã como mulher casada e ela se surpreendeu desejosa da aprovação do marido. Quem sabe ele ficaria impressionado com tudo o que ela conseguira arrumar em somente algumas horas e então abraçaria a ideia de felicidade doméstica.

Minha querida, você conseguiu um verdadeiro milagre. Não consigo nem imaginar como vivi todo esse tempo sem você. Sério, você é a melhor esposa do mundo.

– Bom dia! – ela sorriu, preparando-se para receber elogios.

Em vez disso, todavia, Sebastian meneou a cabeça descrente:

– Mary, o que você fez?

Sebastian fez um amplo gesto mostrando a cozinha:

– O que significa tudo isso?

Enquanto esperava uma resposta, viu o sorriso desvanecer do rosto de Mary.

– Café da manhã – ela respondeu. – E também organizamos um pouco.

A cozinha não fora meramente "organizada". Tinha passado por uma completa transformação. As aranhas foram despejadas dos cantos e a grossa camada de poeira desaparecera da cornija da lareira. O cheiro refrescante da brisa marítima soprava pela janela aberta, balançando cortinas de renda. Tudo estava brilhando de limpo, até o chão fora esfregado e polido.

Mary decerto havia trabalhado cada bendito minuto que ele esteve fora e, ainda mais impressionante, tinha convencido Dick e Fanny Cross a também trabalharem.

A coisa mais linda do recinto, é claro, era a própria Mary, adorável como uma pintura holandesa. Ela usava um vestido verde-acinzentado com mangas curtas e uma delicada barra rendada. Sua pele parecia reluzir à luz da manhã, e suas bochechas tinham um leve rubor. As madeixas castanho-avermelhadas estavam enroladas displicentemente no alto da cabeça com fios que escapavam e emolduravam as têmporas e a nuca.

– Parece até que alguém acabou de pisotear o seu chapéu novo – ela disse. – Você não gostou?

– Não é que não gostei, é só que você não devia ter se dado ao trabalho. Partiremos para Ramsgate esta manhã.

– Sim, quanto a isso... – ela mordeu o lábio inferior. – Vamos tomar café primeiro. Estou com fome. E você deve estar varado de fome.

Sebastian *estava* faminto. Não comia nada desde o café da manhã do dia anterior, o que poderia muito bem ter sido no ano anterior, pois, desde o beijo da noite passada, outro tipo de fome o atormentava. Estava varado de desejo por sua esposa.

Enquanto Mary lhe servia um prato, ele foi lavar as mãos. Em seguida, sentou-se diante de um banquete. Ovos fritos, bacon, torradas com manteiga e geleia. Como ela tinha conseguido tudo aquilo?

Comer primeiro, seu estômago roncou. *Conversar depois*.

Ele atacou a comida, devorando quatro ovos, duas fatias de bacon e seis torradas com manteiga em questão de minutos.

– Sentindo-se humano novamente? – ela encheu sua xícara pela terceira vez.

– Quase lá.

Quando Mary se debruçou para lhe servir o chá, ele teve um vislumbre não só das curvas doces e fartas de seus seios, mas também do vale escuro e secreto entre eles. Se não a conhecesse bem, diria que ela ofereceu *de propósito* visão tão tentadora.

– Estava pensando... – ela apoiou um cotovelo na mesa e então o queixo nas mãos. – Em vez de irmos a Ramsgate, poderíamos ficar aqui mesmo.

– Não – ele sorveu seu chá e pousou a xícara com autoridade. – Não passaremos nem mais uma noite neste chalé.

– Mas...

– Eu te levarei a uma estalagem. Ou hotel. O melhor estabelecimento que Ramsgate tiver para oferecer, seja qual for.

Aliás, onde quer que ficassem, ele exigiria o melhor quarto. Não simplesmente um quarto, mas uma suíte. Aposentos com banheira e sala de jantar privada.

E o mais importante, quartos separados.

Na noite passada, aquele simples beijo de boa-noite quase foi sua ruína. Esta manhã ele estava babando igual um cachorro com um simples vislumbre de seus seios. Se dividisse uma cama com ela de novo, decerto perderia o controle.

– Ramsgate é popular demais nessa época do ano. Estará pululando de damas em férias. Olhos abelhudos demais. Alguém nos reconhecerá e logo os rumores estarão circulando por toda Londres.

– A menos que visitemos lojas ou o litoral, não chamaremos atenção.

– Sebastian – ela riu com gosto. – Você é praticamente uma estátua grega ambulante. Assim que nos dirigirmos à cidade vai ser o mesmo que publicar um anúncio no *Times*. Não podemos simplesmente ficar aqui e evitar as fofocas? Em apenas uma manhã, já consegui melhorar a cozinha. Me dê alguns dias e este chalé ficará verdadeiramente encantador. Espere e verá!

– Que seja – ele cedeu. –Se é isso mesmo o que você quer.

– É isso o que eu quero. E se não fosse, você sabe que eu não hesitaria em falar.

– Isso é verdade – ele tamborilou os dedos na beira da mesa. – Mas tenho uma condição: precisamos resolver como dormiremos.

– Concordo de todo coração – ela se levantou da mesa. – E é por isso que tenho algo para te mostrar lá em cima.

Capítulo 6

Sebastian a seguiu escadas acima, sentindo-se estranhamente alerta. Que tipo de surpresa ela teria em mente?

– Encontrei no sótão – ela tagarelava enquanto se dirigiam ao quarto – Já deve ter séculos. Nós a encontramos em meio a um monte de trapos e Dick a trouxe para esse aposento. É o maior. – Mary o guiou até o quarto no final do corredor e fez um gesto de demonstração em direção a um dos cantos: – Viu? É uma cama!

Sebastian pestanejou diante do amontoado de toras.

– Isso não é uma cama, é lenha.

– É uma cama desmontada. E creio que você teria um bom trabalho para queimá-la. É mais pesada que tijolos – ela ergueu a extremidade de uma tábua – Nem sei que tipo de madeira é essa.

– Também não tenho certeza – ele passou os dedos pela superfície, examinando o lenho. Pegou um pé (ou seria um remate?). O tempo cobrira a madeira com uma pátina escura e impenetrável que não conseguiu retirar nem arranhando com a unha do polegar.

– Não creio que seja inglesa. Que estilo de entalhe você acha que pode ser? – Mary se inclinou perto dele, mostrando uma peça que tinha uma série de flores silvestres talhadas.

– Suecas, talvez? – Ele deu de ombros.

– Bem, seja lá de onde vier, é nela que dormiremos hoje à noite. Já mandei Fanny encher um colchão com palha nova e fresca. Precisamos apenas montar a cama; todas as peças parecem estar aqui. – Levantou uma tábua e analisou as dimensões. – Acha que isso aqui é um sarrafo? – Virou para analisar de outro ângulo. – Ou um trilho?

Dando de ombros, ela carregou a peça para o centro do quarto e a colocou no chão.

– É uma cama de encaixe, do tipo caixa e espiga – Sebastian remexeu a pilha de tábuas e peças. – Não deve demorar. – Ele escolheu duas peças que pareciam ser pares e a espiga deslizou na caixa como uma mão numa luva. – Esta junta já está conectada.

Mary interrompeu a ação de alinhar uma tábua ao lado da outra para comparar as extremidades.

– Oh, não. Não vamos começar a montar de qualquer jeito. Não sabemos se essas duas peças realmente são pares.

– Claro que são. Encaixam direitinho.

– Você não tem certeza.

Sebastian levantou as duas peças, deslizando a espiga no encaixe várias vezes:

– Isso não é prova o bastante?

– Mas pode ter mais de uma peça que encaixa no mesmo buraco.

– Bem, não sei como você propõe montar essa cama sem juntar as peças que se encaixam. Achou um livreto de instruções no sótão? Em sueco?

– Claro que não. É por isso que precisamos de um plano. Agora, vamos começar organizando todas essas peças em fileiras, assim podemos contá-las e compará-las. Marcaremos as peças similares: tábua A, tábua B e assim por diante. Em seguida, podemos começar a montar um diagrama com as peças no piso e...

– Pensei que você queria dormir nesta cama hoje à noite, não semana que vem.

– Qual é o problema de planejar primeiro?

– Você só está tornando mais complicado do que precisa ser. – Ele levantou a grande e larga cabeceira e a encostou na parede. – É aqui que você quer que fique?

– Mais para a esquerda – ela indicou mais para o lado. – Não, agora volta um pouquinho para a direita. Aí! Isso.

Sebastian deixou a peça apoiada na parede e voltou para a pilha de tábuas, selecionou as maiores:

– Essas aqui vão aos pés da cama.

– Tem certeza?

– Sim – confirmou com um grunhido, levantando a tábua e a posicionando paralelamente à cabeceira e pedindo a Mary: – Não a deixe cair.

– Então você já fez isso. – O ceticismo dela era evidente no comentário. – Montar camas.

– Milhares delas.

– Milhares? E aonde?

– Confie em mim, Mary – resmungou impaciente. – Tenho tudo sob controle. Não vai levar mais que alguns minutos.

Uma hora depois.

Mary se colocou de pé, massageando os músculos doloridos da lombar.

– Ainda não está certo. Essa peça não vai aí.

– Vai, sim – enquanto observava, Sebastian tentou mais uma vez encaixar a espiga de madeira no buraco de um trilho.

– Está vendo? Não encaixa.

– Vai encaixar. Não há mais nenhuma peça disponível que encaixe aqui.

– Porque provavelmente é uma das peças que você já usou, que poderia estar em qualquer lugar – e indicando a cama montada pela metade – ou talvez a peça certa estava faltando desde o princípio. E era por isso que eu queria montar um plano, sabe.

– Pare com isso – ele olhou de cara feia para ela.

– *Parar* o quê? De estar certa? – Ela bufou, soprando uma mecha de cabelo de sua bochecha. – Não há mais nada a fazer. Teremos que desmontar e começar de novo.

– Ninguém vai desmontar nada – ele esconjurou com veemência. – E a peça encaixa! – Sebastian fulminou a madeira com o olhar, como se bastasse o poder de uma encarada masculina para subjugar a peça. – Só preciso de uma marreta.

– Acho que sou *eu* que preciso de uma marreta – Mary resmungou.

– O que foi?

– Nada – ela estrilou irradiando inocência. – Vou achar aquela marreta para você agora mesmo.

Duas horas depois.

Mary estava sentada num canto do quarto, abraçando os joelhos junto ao peito. Com um sorriso de satisfação, Sebastian deu uma última girada no apertador de cordas para retesá-las ao máximo.

– Pronto.

Mary só observava enquanto ele arrastava o colchão recém-estufado e o colocava sobre o estrado. Pensou em oferecer ajuda, mas, a essa altura, não seria tola de respirar em cima, muito menos tocar, no trabalho em progresso. E que Deus tivesse piedade dela se arriscasse alguma sugestão útil.

Sebastian se afastou, alongou-se e limpou o suor da testa com a manga da camisa.

– Terminada.

Mary fitou a cama, segurando a língua.

– Bem...? – Ele colocou as mãos no quadril – Eu disse que montaria.

– Sim, mas...

– Mas *o quê*, Mary? Mas *o quê?*

– Mas tem três tábuas sobrando – Ela se levantou e apontou. – Onde elas vão?

– Devem ser peças excedentes – Sebastian deu de ombros.

– Excedente? Que cama de mais de um século vem com peças excedentes?

– Esta aqui.

Mary esfregou as têmporas.

– Não importa. – Ele deu um passo para trás. – É firme o bastante para aguentar um boi. Veja!

– Sebastian, espere.

Ele deu dois passos correndo e se jogou sobre a cama, girando no ar para cair de costas. Todos os cem quilos de seu corpo aterrissando bem no meio do colchão.

– Viu? –Ele colocou as mãos atrás da cabeça e a encarou com presunção. – Eu te falei que estava fir...

Crac.

Um lado da cama cedeu sob seu peso, virando o colchão e o arremessando ao chão.

Mary permaneceu absolutamente imóvel e calada. Sebastian ficou encarando o teto.

– Vá em frente. Diga.

– Dizer o quê?

– Eu sei o que você está pensando. Melhor colocar para fora.

– Não sei do que você está falando – ela mentiu.

– Sim, você sabe.

– Vamos descer e vou preparar um chá.

– Pelo amor de Deus, Mary. Eu sei que está na ponta da sua língua. Diga logo de uma vez.

– Eu não...

– *Diga!*

– Eu avisei! – ela gritou. – É isso que você quer ouvir? Eu avisei que isso ia acontecer. Avisei que você estava montando do jeito errado. EU AVISEI!

Sebastian encarou o teto, engolindo sua fúria em silêncio. Mary, no entanto, tinha apenas começado.

– Eu queria traçar um plano, mas nãããão. Você não precisa de um plano, já montou milhares de camas, sabe exatamente como as peças se encaixam. Porque você, como todos os homens, tem o dom mágico da montagem de móveis enfiado na bunda! – Apontou para as tábuas não utilizadas. – *Excedentes*? Você está mesmo me dizendo que artesãos suecos do século XVI fabricavam peças *excedentes*?

Sebastian finalmente colocou-se de pé:

– Eu – apontando o dedo para o próprio peito – avisei você – apontando o dedo para Mary – que deveríamos ir para Ramsgate. Onde eles *já têm* camas. Camas montadas. Camas confortáveis. Camas em quartos bem guarnecidos só esperando para serem utilizadas.

– Eu não quero ir para Ramsgate!

– Sim, você já disse. Está determinada a evitar fofocas. Que Deus a livre de ser vista em público comigo.

– O quê? – Ela teve um sobressalto.

– Afinal, você poderia ter se casado com Giles Perry, o filho de um advogado com uma promissora carreira política. Em vez disso, está com o famigerado Lorde Byrne. Aquele que suja as mãos no comércio, porque seu pai afundou a propriedade da família em dívidas e só não a levou à falência porque se afundou na bebida antes. Aquelas damas em férias iriam ter assunto para as línguas ferinas, não é mesmo? Toda a Inglaterra olharia com reprovação.

– Sebastian, não acredito que está pensando que estou com vergonha de ter me casado com você.

– Oh, claro que não – ele rebateu com escárnio. – Você prefere passar a semana enfiada comigo num chalé caindo aos pedaços, esfregando chão e montando móveis, quando poderia estar hospedada no mais refinado resort à beira-mar.

– Sim, eu prefiro *mesmo*.

– Sem dúvida. – Ele revirou os olhos. – E por que não preferiria? Olhe só como está se divertindo neste exato momento.

– Eu não acredito! – Ela balançou a cabeça.

– Bem, e eu não acredito em você. Está mais do que óbvio que está tentando me persuadir a ficar aqui. Vasos de flores na mesa, café da manhã. – Lançou um olhar de nojo para a cama desmontada. – *Isso*.

– Bem, perdoe-me por tentar tornar o nosso chalé de lua de mel minimamente romântico.

– Não é para ser romântico! Você foi abandonada pelo seu noivo. Eu me casei com você por lealdade ao seu irmão. Não nos demos as mãos e fugimos em direção ao pôr-do-sol. – Ele a encarou com o mais frio dos olhares. – Não estamos apaixonados.

Tais palavras a acertaram em cheio, com tanta força que não conseguia nem respirar. E não havia nenhuma razão lógica para ela se sentir magoada, afinal ele estava apenas falando a verdade. Só que até aquele momento ela simplesmente não se dera conta do quanto gostaria que a verdade fosse diferente.

– Eu... – Mary piscou rapidamente, forçando-se a segurar uma lágrima quente.

Ele passou a mão pelos cabelos, xingando.

– Mary, não me dê ouvidos. Nós dois estamos exaustos e...

– Está tudo bem, Sebastian. Você não precisa se explicar. – Mary recuou até a porta, precisava sair daquele quarto. As paredes pareciam diminuir em cima dela, apertando seu coração. – Podemos partir para Ramsgate quando você quiser.

Capítulo 7

Sebastian demorou cerca de cinco segundos para perceber como tinha sido imbecil. Entretanto, forçou-se a esperar algumas horas antes de admitir para ela. Mary precisava de tempo e espaço para esfriar a cabeça e ele também.

Como penitência, fez exatamente o que ela lhe sugerira desde o começo.

Pegou cada parte da maldita cama e, separando por tamanho e função, montou um diagrama do móvel no chão e, veja só, tudo se encaixou perfeitamente. Quando enfim foi atrás dela, Mary não estava no chalé. Ele a procurou em todos os cômodos, cada vez mais preocupado, até retornar ao quarto principal e, sem querer, olhar pela janela. Ela estava na praia, caminhando na areia.

Sebastian desceu o caminho tortuoso até a praia. Ao avistar o adorável perfil de Mary, parou por um momento para recuperar o fôlego. Ela contemplava o oceano, a brisa chicoteava seu fino vestido de verão e brincava com os fios soltos de seus cabelos. Antes de seguir em frente, ela parou e se abaixou para pegar algo na areia, que acrescentou a uma coleção que já tinha na palma da mão.

– Mary! – Ele correu até ficar ao seu lado. Ao alcançá-la, procurou as palavras certas, mas apenas três lhe vieram à mente:

– Sou um idiota.

– Não é o único. – Ela inclinou a cabeça.

Seguiram caminhando juntos.

– O que estava coletando?

– Conchas de caramujo – mostrou-as para ele. – Não consegui resistir.

Mary, Mary, quite contrary, how does your garden grow?
With silver bells and cockleshells, and pretty maids all in a row.[2]

Sempre que ela teimava em alguma discussão, Henry a provocava com a rima dessa cantiga de roda, mesmo quando já não brincavam mais de roda há muito tempo. Sebastian supunha que era coisa de irmãos.

– Acho que vou colocá-las em um jardim. – ela remexeu as conchinhas com a ponta do dedo – com alguns sinos de prata e belas donzelas enfileiradas. Seria um bonito memorial, não acha?

– Acho que ele adoraria ter a chance de te provocar além da sepultura.

– Henry tinha razão. Tentei domar meu temperamento contra a teimosia, mas nunca parece funcionar. Sou filha de meu pai, está no meu sangue. Um pouco de debate acalorado era como um jogo para nós, que nós dois apreciávamos... – olhou de soslaio para ele. – Mas sei que não é assim em todas as famílias.

Com certeza não era assim na casa de Sebastian. Nada de discussões bem intencionadas. Apenas ameaças, acusações e o som de porcelana estilhaçada contra a parede.

– Vou tentar ser mais paciente – Sebastian asseverou.

– Vou tentar não estar certa o tempo todo – Mary provocou. – Creio que isso significa que já superamos nossa primeira discussão como cônjuges.

Aperto no peito aliviado. Desculpas aceitas, simples assim. Sebastian havia aprendido tanto no tempo que passara na casa dos Clayton. Fora naquela casa que aprendera a ser um homem.

Henry o ensinou o quanto significava ter um amigo.

Sr. Clayton o ensinou o valor de ser responsável.

Mary o ensinou o que significava desejar. Pressentir que há algo a mais sob a superfície da amizade. Querer saber como trazer aquilo à tona. Questionar se seria merecedor.

Ela parou para recolher mais uma conchinha, examinando-a entre os dedos. Insatisfeita, desfez-se dela.

– Imagine se eu tivesse me casado com Giles... eu seria: "*Mary Perry, quite contrary*". Que horror!

– Horroroso, de fato – ele fez uma careta. – Por que aceitou a proposta de Perry se não o amava?

---

[2] Em tradução literal: "Mary, Mary, bem teimosa, como o seu jardim floresce? Com sinos de prata, conchas de caramujo e belas donzelas enfileiradas". Trata-se de uma tradicional cantiga de roda inglesa. (N. T.)

– Ponderando as aspirações políticas de Giles, disse a mim mesma que poderia executar boas ações no papel de sua esposa. Foi antes de compreender que ele era motivado apenas pela ambição e não tinha intenções reais de servir ao povo. Eu teria enlouquecido, tentando segurar minha língua e sendo obrigada a apoiar suas posições políticas insossas sem poder expressar minha opinião. Estou tão aliviada por não ter me casado com ele.

– Está mesmo?

– Sim. Na verdade, estou mais do que aliviada, estou feliz.

Feliz.

Essa palavra fazia o cérebro de Sebastian girar.

Naturalmente, ele concordava com a avaliação de que Mary e Perry teriam sido um casal desastroso. Sabia desde o princípio. Guardadas as diferenças de opinião, o homem simplesmente não era bom o bastante para ela.

Seria possível, todavia, que estivesse realmente *feliz* após ter sido largada? Era demais para acreditar. Na melhor das hipóteses, ela estava apenas lambendo as feridas, tentando se convencer de que tinha sido melhor assim para aliviar o sofrimento.

Com o tempo, ele faria tudo o que estivesse a seu alcance para fazê-la feliz de verdade.

– Tenho algo para você – ele enfiou a mão no bolso do peito, procurando a pequena lembrança. – Trouxe da vila, mas me esqueci de entregar mais cedo quando...

– Nos excedemos? – Ela arqueou as sobrancelhas.

– Exatamente – ele deu um sorrisinho. – Enquanto aguardava na forja com Shadow, pedi que o ferreiro fizesse isto. – Pegou o pequeno círculo de prata polida e o colocou na palma dela. – É apenas temporário. Providenciarei algo muito melhor na primeira oportunidade, mas, por ora, foi o melhor que consegui.

Mary admirou a aliança, muda.

Sebastian se balançou nos calcanhares. Tinha parecido uma boa ideia quando estava no ferreiro, mas agora, na mão delicada, o anel tinha um aspecto reles e grosseiro.

– Você não precisa usar.

Ela fechou os dedos com força, segurando o anel em seu punho.

– Mas é claro que eu vou usar. Nem pense em querer pegar de volta.

Ele suspirou aliviado. Mary deslizou a aliança fina e humilde em seu anelar.

– Foi muito atencioso de sua parte me trazer esse presente. – Na ponta dos pés, ela deu-lhe um beijo na bochecha. – Obrigada.

Antes que ela pudesse se afastar, ele passou o braço ao redor dela e a manteve bem junto a si, seus olhos atraídos pelos lábios rosados.

Irresistíveis.

E a beijou, e ela se entregou a seu abraço. Através do vestido maravilhosamente fino, sentia os seios dela se derretendo contra ele. Explorou sua boca com movimentos possessivos de língua, querendo mais e mais. E Mary oferecia tudo o que ele queria e então também começou a demandar. Agarrou-o pelo pescoço, com firmeza, mantendo-o cativo.

Amor, nunca me liberte.

De comum acordo, suas mãos começaram a exploração, descendo pela coluna, deslizando sobre a curva do quadril, até se acomodarem no vale do bumbum. Os dedos se apertaram, exigindo a fartura daquela carne e trazendo-a ainda mais para perto com uma puxada firme e rápida. Seu pênis cresceu e endureceu, pulsando contra a maciez do ventre de Mary.

Sebastian inclinou-se para beijar o seu pescoço e o breve suspiro de prazer que ela soltou o fez inchar ainda mais de triunfo.

Mais. Ele queria mais.

Acarinhou o seio por cima da musselina do vestido, apalpando e massageando a maciez. Os mamilos ficaram rígidos e ele apertou de leve o bico sensível, esfregando seu polegar para cima e para baixo, numa carícia provocante. Ela gemeu baixinho e Sebastian cobriu sua boca com a dele, bebendo aquele som de prazer.

Quando o beijo terminou, ele já preparava uma desculpa fingida.

Fui levado pelo momento, não queria te pressionar, não vamos apressar nada, vou respeitar o seu tempo, etecetera...

Mas ela falou primeiro:

– Sebastian – e umedeceu os lábios. – Faça amor comigo hoje à noite.

Mary prendeu a respiração, olhando nos olhos dele.

Sebastian ficou quieto demais e ela começou a ficar constrangida. E confusa. Ele tinha acabado de explorar seu corpo tão devassa e despudoramente quanto um viking saqueando uma vila medieval. Como poderia ficar chocado com seu pedido?

– É muito cedo – ele se recusou.

– Somos casados. Estamos em lua de mel. Assim que partirmos, você terá de cuidar dos seus negócios e eu, de uma casa nova. Parece não ter melhor hora que agora.

De fato, temia que essa fosse a única oportunidade. Se não forjassem uma forte conexão antes de partirem de Kent, ela talvez teria de esperar um bom tempo por uma nova chance.

– Só se passou um dia. Você ainda não superou seu desapontamento.

– Já te falei que eu não amo Perry. Talvez eu deveria estar triste, mas não estou. Estou aliviada.

– Mas não significa que está pronta para pular na cama comigo.

– Sem dúvida será estranho da primeira vez. Mas sempre será, não importa o quanto esperemos. – Ela olhou para a praia vazia. – Além do mais, não há muitas opções de divertimento por aqui. A menos que você queira jogar cartas toda noite.

– Jogar cartas com você – ele resmungou – é como tentar segurar a maré: é impossível ganhar.

– Muito bem – ela concordou. – Sem cartas. O que nos traz de volta à cama.

Ele fixou o olhar no horizonte.

– Sebastian, por mais que não esperasse me casar com você, sempre o achei muito atraente.

Para ser franca, ela nunca medira a força de tal atração até constatar como seus sentimentos por Giles ficavam desbotados perto dele. Giles não a deixava toda molhada só de olhar para ela. Acho que a deixava até mais seca. Após um segundo de hesitação, acrescentou:

– É claro que não espero que você diga que se sente da mesma forma em relação a mim.

Sebastian tocou em seu queixo e virou o seu rosto para o dele.

– Você – disse com voz grave – me faz arder de desejo.

Oh.

Pelos céus. Sabia que ele diria algo gentil. Elogiaria seus olhos, talvez, ou possivelmente seu rosto. Quem sabe até diria que era bonita. Mas uma confissão de desejo intenso a pegou totalmente de surpresa.

Ela foi pescar um peixe pequeno e voltou com uma balcia.

– Sei que você gosta de discutir – ele pousou a mão no seu braço –, mas não serei dissuadido nesse assunto. Nos casamos às pressas, mas não apressaremos essa parte. Sou orgulhoso demais para aceitar que seja um negócio corrido ou sem contentamento. Eu vou conhecer cada centímetro do seu corpo, e você vai conhecer cada centímetro do meu. E, quando eu souber que está pronta... quando você estiver ardendo por mim com o mesmo fogo que me faz arder por você... então eu farei amor contigo. Nem um momento antes.

Oh, Sebastian. Nem de longe será necessário tanto esforço quanto você está pensando.

Seu corpo não precisava de mais nenhuma persuasão. Mas *como* o convenceria?

– É melhor voltarmos. – Ele se virou na direção do chalé e lhe ofereceu o braço. – Fui informado de que Dick e Fanny estão nos preparando um jantar formal. Quatro pratos, que serão servidos na sala de jantar.

– Minha nossa! Pelo jeito, eles estão se esforçando para agradar com medo de que você os dispense.

– É melhor mesmo que estejam.

Ao se aproximarem do chalé, avistaram uma carruagem despontando na estrada.

– Ali está. Graças a Deus – Sebastian adiantou-se em direção à casa revigorado.

– De quem é essa carruagem?

– É minha. Enviei um expresso de Canterbury, avisando minha governanta de que estava aqui e pedindo que ela enviasse alguns de meus pertences da cidade.

Mary postou-se atrás dele enquanto Sebastian ia cumprimentar o cocheiro. Juntos, os dois homens descarregaram um baú de trás da carruagem. Sebastian o levou para dentro, destrancou os ferrolhos e o abriu.

– Que milagre. Agora estou em posse de camisas limpas, lâmina e sabão de barbear, pó dental... Todas as necessidades modernas de uma vida civilizada. – E acrescentou: – E *nós* temos uma carruagem com cocheiro. Podemos ir aonde você quiser. Se Ramsgate não lhe agrada, escolha o destino de sua preferência. Bath. O vale de Wye. O Distrito dos Lagos. Cotswolds. Ora, por que não Paris?

Mary riu diante da última sugestão. Por dentro, seus sentimentos eram conflitantes.

Estava ficando sem desculpas para permanecer no chalé. Adorou o lugar, mas precisava admitir que amaria após alguns meses de reformas e reparos e uma bela faxina. E, para ser honesta, sempre quisera visitar Cotswolds.

No entanto, queria mais do que tudo impedir que Sebastian se afastasse. Ele havia deixado claro que se sentia impelido pela honra a guardar um irracional e indefinido período de espera antes de consumarem o casamento. E, mesmo assim, acabara de confessar que a desejava.

Você me faz arder de desejo.

Um arrepio a percorreu dos pés à cabeça.

Conhecendo Sebastian bem como conhecia, Mary podia adivinhar facilmente que tipo de sacrifício ele se impusera para ficar em paz com a própria consciência. Ele a manteria distante sempre que pudesse. Dormiria em camas separadas. Passaria o tempo em atividades diferentes das dela. Mergulharia em qualquer trabalho que pudesse encontrar.

– Não podemos sair antes do jantar – ela disse enfim. – Dick e Fanny ficarão muito magoados depois de todo o trabalho que tiveram.

– Bem, os cavalos também precisam se refrescar e serem alimentados.

Mary reuniu toda sua coragem:

– Agora você está em posse de um traje de noite. E eu tenho um baú cheio de vestidos que nunca tive a chance de usar. Já que o Sr. e a Sra. Cross nos prometeram um jantar formal, por que não nos vestimos de acordo?

– Como queira – ele coçou a mandíbula. – De todo modo, preciso tomar um banho e me barbear. Podemos combinar jantar em uma hora, então?

– Perfeito.

Capítulo 8

Conforme Mary desaparecia escadas acima para se banhar e se vestir, Sebastian adotou o escritório como seu toucador. Estava mais preocupado com sua aparência do que no dia que foi apresentado à Corte. Esfregou-se, ensaboou-se, barbeou-se, penteou-se, vestiu-se e se abotoou. Até poliu as botas até que ficassem brilhantes como um espelho. Não era nenhum galã, mas não queria decepcionar Mary.

Sempre achou um vexame que ela nunca tivesse tido uma temporada decente em Londres. Não era algo que o pai dela pudesse financiar, calculou. Os Claytons eram uma família respeitada e bem estabelecida, mas o segundo filho de um senhor de terras nunca recebia uma boa herança, se é que recebia alguma. Portanto, nada de *debut* social para Mary, e agora ela havia perdido o dia do próprio casamento – que era a chance que uma noiva tinha de brilhar.

Ela merecia ser admirada por legiões de cavalheiros, em todas as mais diversas ocasiões. A vida e as circunstâncias privaram-na disso. Por isso, Sebastian se arrumaria com todo o esmero, se colocaria ao pé daquela escada e a admiraria com o deslumbramento de cem homens juntos.

Deus Todo-Poderoso.

Talvez de mil homens.

Mary desceu a escada em um cintilante vestido azul-safira que capturava precisamente o mesmo matiz de seus olhos. Pérolas pontilhavam o elegante penteado em seus cabelos castanho-avermelhados, mais ou menos como as delicadas sardas pontilhavam a linha alva de seu decote.

– Você está linda – ele disse, declarando como um fato óbvio. Porque era.

Ela arregalou os olhos azuis, surpresa. Mas não deveria se surpreender.

– Sempre te achei linda. Desde a primeira vez que a vi.

– Oh, sem essa. Não acredito nisso. Eu era a irmã mais velha e irritante do seu melhor amigo.

– Você era a irmã mais velha, irritante e *linda* do meu melhor amigo. E eu era o típico adolescente, incapaz de pensar em outra coisa a não ser naquilo. Em alguns verões, o simples fato de estar na mesma sala que você quase me enlouquecia.

– Nunca soube que me você me admirava assim – ela assumiu com ternura.

– Oh, e como eu te admirei – ele admitiu, olhando-a dos pés à cabeça. – Admirei muitíssimo. Às vezes mais de uma vez por dia.

Mary desferiu um soco de brincadeira em seu ombro:

– Se-*bas*-tian Lawrence Ives.

Caramba, ele era um egoísta desgraçado. Ela havia passado mais de uma hora se arrumando somente para ele, e tudo o que ele queria era fazê-la dar meia-volta, conduzi-la direto para o quarto e atracar-se com ela de um jeito que desmancharia todos os seus esforços em questão de segundos.

Sebastian forçou os pensamentos a assumirem um comportamento mais cavalheiresco. Não deveria, não faria amor com ela naquela noite. Baniria essa ideia por completo.

Naturalmente, as palavras seguintes que saíram da boca de Mary foram:

– Notei que você montou a cama.

Outro assunto a ser banido.

Pegando a mão dela, fez uma mesura e beijou seus dedos.

– Lady Byrne, posso ter a honra de acompanhá-la ao jantar?

– Obrigada, Lorde Byrne. Sim, por favor.

Fazendo uma oração silenciosa, Mary seguiu para a sala de jantar, onde a mesa estava posta com os mais refinados pratos lascados e talheres sem par que o chalé tinha a oferecer.

Por favor, que isso funcione.

O vestido parecia ter sido um bom começo. Se Dick e Fanny tivessem preparado um jantar minimamente romântico, e se dobrasse Sebastian com algumas taças de vinho, talvez ele baixasse aquela guarda de dever e lealdade descabida apenas por uma noite.

Na lateral do cômodo, Dick estava empertigado como uma vareta, com um guardanapo um tanto esfarrapado sobre o antebraço esquerdo. Seu casaco estava abotoado e ele havia amarrado um cachecol em volta do pescoço fazendo as vezes de peitilho. Uma risca dividia seu cabelo em metades desiguais – com exceção do redemoinho que balançava ao menor movimento. Ele fez uma profunda mesura.

– Milorde. Milady.

– Boa noite, Sr. Cross – Mary cumprimentou, enquanto Sebastian a ajudava a se acomodar em seu assento. – Tudo está adorável. Você e a Sra. Cross devem ter trabalhado arduamente.

– Sim, senhora – Dick serviu vinho em suas taças. – Mas não temos medo de trabalho duro, milady. Nunca que vossas senhorias vão encontrar servos tão dedicados que nem eu e minha Fanny.

Sebastian pegou seu cálice, visivelmente pressentindo o tema do jantar que se desenrolaria: *Cento e uma razões para não demitir o seu caseiro.*

Dick trouxe uma terrina coberta por um guardanapo de linho.

– O primeiro prato, milorde e milady. Sopa de ranho.

– Sopa do *quê?* – Sebastian ecoou.

– Ranho – Dick serviu uma concha no prato de Mary.

Mary olhou para o gorduroso caldo. Então cruzou o olhar curioso com o de Sebastian e encolheu os ombros em resposta. *Não faço a menor ideia.*

– Faz sentido mesmo não, milorde. Mas a mulher disse que hoje é tudo francês. – Ele fez um aceno debochado. – *Tré tré chique*!

Assim que ele se retirou, Sebastian remexeu o caldo em seu prato, analisando o conteúdo.

Miúdos, ou, como os franceses costumam chamar, *rognon.*

– Oh, minha nossa... – Mary cobriu a boca com a mão – Isso não é um bom presságio...

– Vamos só comer – Sebastian levantou o talher e sorveu uma colherada, então o devolveu ao prato. – Pensando bem, melhor não comer. – Indicando com um aceno de cabeça. – Como está o ranho? Tolerável?

– Pare! – ela pediu. – Não me faça rir. Eles vão ouvir.

Assim que a sopa foi retirada, Dick retornou com uma travessa oval tampada e a colocou no centro da mesa com um floreio. Mary contraiu os dedos das mãos e dos pés, torcendo por algo melhor desta vez.

– Segundo prato, milorde e milady. Poção ao veneninho – e, com uma mesura: – Aproveitem.

Após a saída de Dick, Mary encarou a travessa:

– Diga-me que ele não falou "veneninho".

– Creio que foi exatamente o que ele disse – Sebastian inclinou a cabeça: – Quer se atrever a destampar e dar uma espiada?

– Eu não. Olhe você.

– Ainda podemos pedir mais sopa de ranho.

– Ora, seu.... – Mary pescou um pedacinho de miúdo e atirou no prato dele. – Tome aí o seu ranho.

– Shhh... – Sebastian pousou o indicador nos lábios.

Da cozinha, ouviam Dick e Fanny se altercando:

– Mulher, o que você *mim* fez servir lá? *Naonde* já se viu, dar veneninho *pro* patrão?!

– Eu já te falei que é o que *tá* aqui no livro de receita! P-O-I-S-S-O-N A-U V-I-N N-È-N-I-N. Poção ao veneninho. É assim que *eles chama*.

– Ah, mulher! É nisso que a francesada quer que a gente acredite. É assim que eles *pega* a gente!

Sebastian destampou a travessa, revelando precisamente o que ambos agora esperavam ver: peixe cozido ao vinho.

– *Voilà!* – exclamou. – *Poisson au vin Nènin*. – Alcançou os talheres: – Devo lhe servir uma porção, milady?

– Você primeiro.

– Tenho mesmo a fama de viver perigosamente – levou uma garfada à boca. Mastigou. Refletiu por um momento. – Não está envenenado, mas também não está bom.

Quando Dick retornou com o terceiro prato, uma atmosfera de suspense pairava na sala de jantar. Em vez de comerem, Sebastian e Mary passaram vários minutos apostando qual seria o próximo desastre a ser servido.

– Aí está – Dick colocou a travessa sobre a mesa. – Linguiça com batata.

– Sério? – Bem, aquilo foi decepcionante.

– É *bundinha blanca*! – Fanny trovejou saindo da cozinha. – Pai celeste, homem! Quantas *vez* tenho que falar: É *bundinha blanca* e *pomes* saltei! – Lançou um olhar de profundo menosprezo ao marido. – Tenha um pouco de classe, seu velho paspalhão.

– Oh, eu sou o paspalho, eu? – Dick a seguiu de volta para a cozinha, aumentando o tom de voz. – Você é que vai fazer a gente ser dispensado antes mesmo de eu servir o pé de gato.

A gritaria e a querela continuaram, entremeadas pelo barulho de caçarolas e panelas se estatelando.

Retraindo-se, Mary remexeu desconfiada na travessa de *boudin blanc et pommes sautées*. A linguiça tinha uma consistência estranha e as batatas estavam duras. Não queria nem imaginar como seria o *petit gâteau*.

Não havia romantismo que resistisse àquilo

– Talvez seja melhor irmos a Ramsgate no fim das contas – Mary cedeu, resignada. – É melhor eu arrumar minha bagagem. Acha que eles vão perceber se sairmos à francesa?

– Não por uma ou duas horas, no mínimo – pôs o guardanapo sobre a mesa. – Venha, vamos fugir daqui.

Os dois se esgueiraram escadas acima, foram para o quarto e fecharam a porta. Uma vez sozinhos, não conseguiram conter o riso.

– E o pior de tudo é que estou morrendo de fome.

– Aguente firme. Se nos apressarmos, estamos a menos de uma hora de carruagem de uma refeição de verdade.

– Pode me ajudar com os botões e os laços? – Mary se virou de costas para ele. – Preciso me trocar para pegar a estrada.

Sebastian se mostrou hesitante.

– Não estou acostumado com essas coisas.

– Tenho certeza de que vai conseguir.

Ele não estava mentindo sobre a falta de habilidade. Enquanto Sebastian se embananava e lutava com os botões, Mary se sentiu estranhamente encorajada. Era reconfortante saber que ele não tinha amealhado *muita* experiência em desvestir mulheres.

– Pronto. – Assim que desabotoou as costas do vestido, desamarrou as fitas dos saiotes e os nós do espartilho, recuou alguns passos. – Vou esperar no corredor enquanto você...

– Não seja bobo

Mary se virou, tirando o vestido, jogando os saiotes no chão e livrando-se do espartilho. Saiu da pilha de seda e da crinolina, parada diante de Sebastian trajando apenas uma combinação bem justa de renda azul-clara, agarrada aos seus seios e aos quadris. Então puxou os grampos de seu cabelo um a um e balançou as madeixas com um movimento muito sensual, que, não por coincidência, fez seus seios se empinarem.

Se havia chegado até esse ponto, podia muito bem abrir mão de todo pudor. A esposinha caseira e jantares românticos não bastaram para fazê-lo mudar de ideia. Restava-lhe apenas uma estratégia: sedução.

E não tinha a menor ideia do que estava fazendo.

A reação de Sebastian não era bem a que estava esperando. Ele franziu o cenho ao vê-la se despindo, como se tentasse solucionar um problema de matemática.

– O que foi? Não gosta do que vê?

– Não posso dizer que gosto. Não inteiramente. Você é uma visão de beleza deslumbrante, mas está aí vestindo uma camisola feita para a sua lua de mel com outro homem.

– Oh, é esse o problema?

Ela deslizou a combinação sobre os ombros e retirou os braços das mangas. A peça caiu no chão em uma poça de renda.

– Pronto. Nada de camisola. Problema resolvido.

Capítulo 9

Não, Sebastian pensou consigo mesmo.

Não, o problema definitivamente não estava resolvido. Seu problema estava crescendo segundo a segundo, ficando duro contra a braguilha de suas calças.

– Não brinque com fogo – ele avisou, mantendo uma distância segura de alguns passos. – Se não quer se queimar...

– Eu quero me queimar – caminhou até ele, pegou sua mão e colocou sobre seu seio. – Eu quero você!

Pronto.

Resistência, derrubada. Discussão, terminada. Decisão, tomada.

Havia um limite de tentação que um homem podia suportar de uma mulher que fora o centro de todas as suas fantasias mais tórridas. Se ela o queria, ela o teria. Cada centímetro latejante.

Pegou-a no colo e a ergueu, Mary enroscou suas pernas ao redor de seus quadris e então Sebastian a levou para a cama.

– Espere – ela disse. – Tem certeza de que vai nos aguentar?

Em resposta, ele simplesmente se jogou no colchão com ela. Mary ficou tensa e prendeu a respiração. Quando a cama não sucumbiu, ele arqueou as sobrancelhas em provocação:

– Sabe, você devia ter um pouquinho mais de fé no seu marido.

– Tem razão. No futuro, eu terei.

– Que bom.

Ela não precisava saber que a cama estava firme e forte porque ele seguira suas instruções. Guardaria isso para si mesmo. Agora que tinha Mary debaixo de si, deu um beijo suave em seus lábios e então desceu fazendo uma trilha direto até o mamilo rígido de seu seio esquerdo.

Há mais de uma década esperava para sentir o sabor deles.

Com a língua, circulou o montinho rosado e então abocanhou o mamilo, sugando com suavidade. Ela se contraiu e gemeu, e ele chupou com mais intensidade. Então Sebastian transferiu sua atenção para o outro seio, lambendo o mamilo e então se deliciando com todo o seio.

Ela era tão doce, tão macia. Poderia passar a noite inteira apenas se deliciando e se afundando em seu busto – e um dia, jurou, assim o faria – mas hoje à noite seu corpo clamava impaciente por mais.

Colocou-se de joelhos para arrancar o peitilho e livrar-se do sobretudo. Ela o ajudou nesses esforços, desabotoando seu colete e puxando sua camisa para fora da calça. Quando finalmente estava desnudo até a cintura, abaixou-se sobre Mary. Seu sangue ferveu quando seus corpos se encontraram, pele com pele.

Sem nunca desviar o olhar do dela, desceu a mão pelas curvas sinuosas até alcançar suas coxas e explorar o calor sedoso no meio delas. Mary suspirou e mordeu o lábio. Sebastian cobriu o pequeno centro nervoso na crista de seu sexo com o polegar e começou a esfregá-lo para frente e para trás. Ela ofegou, os olhos nublados de prazer.

– É bom? – ele perguntou.

– Mais do que bom – ela assentiu.

Inclinou a cabeça para beijar o pescoço, então continuou descendo pelos seios, pela barriga, descrevendo uma trilha até seu centro, mas ela o apertou com as coxas, segurando-o pelos ombros.

– Espere.

Sebastian esperou. Havia esperado mais de uma década. O que seriam mais alguns minutos? Mary se apoiou sobre os cotovelos, olhando para ele.

– O que está fazendo?

– Tenho a intenção de te beijar – e pressionando o polegar no centro dela: – Aqui.

– Você... – sua voz falhou, distraída pelo toque – tem certeza?

– Sim – ele confirmou dando um estalo de língua. – Nem três minutos atrás, você prometeu que teria mais fé em seu marido.

– Devia ter me lembrado disso antes de perguntar – ela se deitou novamente e colocou o pulso sobre os olhos. – Muito bem, faça o que quiser.

Ele sorriu cheio de segundas intenções:

– O que vou fazer, você vai querer também.

Quando ele encostou a boca em sua... bem, *nela*... Mary quase pulou para fora de sua pele. O prazer era tão intenso, tão indescritivelmente radiante. Um movimento da língua no ponto mais sensível de seu corpo, e ela estava se contorcendo inteira embaixo dele.

A mais doce das torturas.

Em questão de segundos, estava respondendo a ele com uma intensidade desconcertante. Seu prazer se avolumava num ritmo sem precedentes. Ela começou a gemer e a arquejar, erguendo os quadris em busca de mais contato. Sebastian então deslizou um dedo para dentro dela e a maravilhosa estocada a deixou no limite. Ela gritou e convulsionou e relaxou. Seus músculos íntimos pulsavam ao redor daquele dedo.

Quando o prazer a deixou retorcida e ofegante, ele deslizou para o topo de seu corpo, desabotoando as calças. Em seguida pegou a mão de Mary e trouxe para sua ereção.

– Toque.

Ela explorou toda a extensão do membro com a ponta dos dedos. A maciez, as reentrâncias, a pela lisa do topo e a firmeza que sustentava tudo. Então o envolveu e começou a massagear para cima e para baixo, como resultado ele soltou um gemido gratificante.

Sebastian se abaixou ainda mais e Mary sentiu a coroa larga da ereção cutucando a entrada de seu corpo.

– Você está pronta? – ele perguntou com a voz rouca.

Ela fez que sim, sem saber se era mesmo verdade.

Ao sentir a pressão aumentando e então entrando nela, alargando seu corpo para se acomodar, Mary se contraiu de dor, mas tentou não demonstrar. A última coisa que queria era que ele parasse.

Sebastian fez amor com ela devagar e gentilmente, com movimentos constantes. Mesmo quando os músculos de seus braços tremiam de tensão e sua respiração ficava pesada. Foi cuidadoso, protegendo-a até mesmo da força de sua própria necessidade, até os momentos finais, quando seu ritmo fraquejou por um momento. Ao retomar, foi numa cadência mais forte e rápida. Seus barulhos e grunhidos masculinos a deixavam louca. Agarrou-se com força aos ombros dele.

Com uma profunda estocada final, desabou sobre ela, estremecendo ao se libertar. Então se abraçaram com força, sem conversas, sem beijos. Apenas respirando e existindo juntos do jeito mais simples e essencial.

Sebastian inspirou profundamente e expirou quase com um rugido, abraçando-a ainda mais apertado:

– Você.

– Você – ela sorriu.

Ele se deitou de costas na cama e Mary repousou a cabeça no peito dele.

– Está quieto lá embaixo – ela notou. – Fanny e Dick pararam de discutir.

– Você acha que mataram um ao outro com rolos de massa ou que se envenenaram?

– É mais provável que tenham ido para os estábulos e caído no sono. O que quer que tenha sido, só espero que eles tenham limpado a cozinha antes.

Enquanto ele a abraçava e acariciava seus cabelos com tanta ternura, Mary começou a sentir o peso na consciência.

– Tem algo que eu preciso te contar – disse, torcendo para que ele recebesse bem a revelação. – Algo que eu deveria ter dito antes de nos casarmos.

– Tem algo que eu preciso te contar também.

– O quê? – Achou ótimo que ele falasse primeiro.

– Quero uma família. Deveria ter dito isso antes de você concordar em fugir comigo. Mas não é só porque preciso de um herdeiro; quero que nosso filho... quem sabe filhos... tenham um verdadeiro lar.

Oh, Sebastian.

– Minha juventude foi uma série de promessas quebradas. – Ele se remexeu e ficou olhando para o teto. – Você sabe. Você estava lá. Quantos Natais passei na sua casa porque meu próprio pai se esqueceu de ir me buscar na escola?

– Não sei, mas sempre ficamos felizes de ter você conosco.

– Vocês tinham pena de mim. A pior parte é que já esperavam minha presença, todo ano. Sempre um lugar posto à mesa, pequenos presentes embrulhados para mim. Pacotes de doces, iscas de pesca. Sempre achei que vocês pegavam algum artigo aleatório da casa para me dar de presente, para eu não me sentir excluído. Até o ano em que você tricotou um cachecol para mim. Você provavelmente não se lembra.

– Claro que lembro. Fiz um para Henry também.

– Eu ainda o tenho, sabia?! Listrado de azul e dourado, as cores de minha casa na escola. Só então eu finalmente entendi. Um cachecol com as cores da minha casa não poderia ter sido feito em cima da hora. Você o tricotou com antecedência, embrulhou e o deixou à minha espera.

– Sebastian...

– Você sabia. Vocês todos sabiam aquilo em que eu não queria acreditar. Que as desculpas de meu pai eram invenções, e que as promessas eram vazias. Ele jamais manteria a palavra de vir me buscar, mas eu nunca me dei conta... – Ele esfregou a mão no rosto – Nunca me senti tão estúpido.

– Você não deveria se sentir estúpido – Mary se sentou na cama. – Você era um menino que queria acreditar no pai. Não há vergonha alguma nisso; sinto muito que ele nunca tenha cumprido as promessas que fez.

– Você nem imagina como dói o tombo da esperança até a decepção. É como ser arrastado por uma carruagem. Chega uma hora que seu espírito está simplesmente dilacerado. Não vou fazer uma criança passar por isso. – Ele olhou bem no fundo dos olhos dela. – Você me entende?

Mary confirmou que sim.

– Portanto, não basta para mim simplesmente conceber um herdeiro e pronto. Eu quero ser um bom pai. Estar presente em todos os Natais e aniversários. Ensinar nossos filhos a cavalgar e a pescar, fazer curativos em seus machucados, colocá-los na cama para dormir. Sei que é mais do que fiz você acreditar quando fugimos. Eu fui egoísta, porque sabia que se tivesse qualquer chance de construir essa vida, teria de ser com você. Se não fosse por você, Henry e seu pai, eu não saberia como é ter uma família.

– Ora, meu querido – ela se inclinou para depositar um beijo em seus lábios. – Nada me faria mais feliz do que ter uma família com você. Nada.

– Está certa disso?

– Você já viu alguma ocasião em que eu não estava certa?

– Creio que não... – ele deu um meio sorriso. – Mas então, o que você queria mesmo me contar?

Mary acariciou a testa de Sebastian. Pela primeira vez, não havia nenhum vestígio de tensão ali e ela não se atreveria a sulcar uma nova ruga de preocupação.

– Eu queria dizer que te amo.

Ele pareceu incerto:

– Você não precisa dizer isso.

– Acho que preciso dizer, sim. Porque há anos guardo esse sentimento no meu peito e está me queimando por dentro. Você não acredita em mim, não é mesmo?

– Nem por um segundo – ele negou. – Quer dizer, a menos que esteja se referindo a um amor ou uma afeição fraternos. Existem vários tipos de amor e...

– Espere – ela se esticou até a beirada da cama e puxou a barra dos lençóis. – Vou te provar. Você sabe que trabalhei anos no meu enxoval. É o que toda garota faz. Mas eu bordei este conjunto aqui quando tinha 21 anos, se não me engano. – Mary percorreu os dedos pela bainha do lençol até achar o que estava procurando. – Aqui! – mostrou para ele. – O que está escrito?

– Não sei – ele respondeu mirando a peça.

– Sim, você sabe. É M.C.I. Eu estava perdidamente apaixonada por você na época e, num ímpeto de sentimentalismo, bordei a inicial do seu sobrenome junto às minhas. Quase sete anos atrás.

– Mas você disse que estava apaixonada. Paixão não é amor.

– Não, não é. Foi o que falei para mim mesma. Por isso, quando você comprou uma patente e foi para a guerra, enterrei meus sentimentos. Me obriguei a ser prática. Giles pediu para me cortejar, e depois me pediu em casamento. Eu aceitei. Mesmo sabendo que não o amava e que jamais amaria.

Ela fechou os olhos e se endireitou.

– Mas foi só quando perdi Henry que eu realmente entendi. O pároco fez uma visita inesperada e eu sabia... não sei como, mas eu sabia, que era porque um de vocês tinha morrido. Quando ele me falou que Henry estava morto, fiquei devastada. Não só porque tinha perdido meu irmão, mas porque senti um abominável relance de alívio. Na hora eu pensei "Graças a Deus, não foi Sebastian"... – Uma lágrima grossa e quente escorreu por sua bochecha e Mary a enxugou impaciente. – Você tem noção? Eu nunca me odiei tanto quanto naquele momento. Mas, depois disso, não podia mais negar, eu te amava de verdade.

Sebastian a abraçou e então a deitou na cama, colocando-se mais uma vez sobre seu corpo, seus olhos descrentes procuravam os dela.

– Mary...

– Eu te amo – ela pegou o rosto dele com ambas as mãos e beijou sua bochecha. – Eu te amo – e beijou o seu queixo. – Eu te amo – e beijou a veia pulsante em seu pescoço. – Eu te a...

Ele devorou os lábios dela, beijando-a com sofreguidão. Como se a proibisse de amá-lo e, ao mesmo tempo, implorasse para que nunca, jamais deixasse de amar. Suas línguas se enroscaram, assim como seus membros, seus corações, suas almas.

Sebastian enterrou o rosto na curva de seu pescoço:

– Eu preciso de você – sussurrou, rouco. – Consegue me receber de novo?

– Sim.

Dessa vez foi diferente. Não foi devagar e brando, mas desesperado e urgente. Ele se ergueu nos próprios braços sem jamais interromper o contato visual intenso enquanto a penetrava com estocadas profundas e poderosas.

Não era amor. Era possessão.

– Você é minha agora – ele disse entredentes. – Me ouviu? Minha!

Ele se moveu mais rápido e mais forte. Como se quisesse meter em seu corpo até se tornar parte dela, compartilhando sangue e ossos, como se sua vida dependesse de estar dentro dela. Mary o abraçou com toda sua força, arqueando os quadris para acompanhar o ritmo. Cada movimento a levava mais perto. Mais perto do ápice. Mais perto de Sebastian.

Eles se viram possuídos pelo calor da tempestade do clímax, agarrando-se um ao outro de todas as maneiras possíveis. Sebastian sucumbiu em cima dela, e Mary acariciou seus cabelos, seus ombros enquanto ele recuperava o fôlego, o suor escorrendo por suas costas molhadas.

– Você é minha agora – ele sussurrou. – E nem tente contestar.

– Não vou contestar – ela disse. – Contanto que você entenda que é meu também.

Capítulo 10

Eles acordaram com o som de pancadas na porta da frente do chalé. Mary sentou-se na cama:

– Mas quem diabos poderia ser a essa hora? Decerto não é Dick nem Fanny.

– Com certeza não é Dick nem Fanny – Sebastian riu com deboche. – Eles jamais bateriam na porta.

– Bem observado.

– Seja lá quem for, parece ter ido embora – ele disse um minuto depois. – Vamos voltar a dormir.

– Não sei se consigo voltar a dormir. Não depois de ter sido acordada de repente.

– Bem, nesse caso... – Ele deslizou o braço ao redor dela, puxando-a para junto de si. – creio que podemos nos entreter de outra maneira.

As pancadas recomeçaram. Resmungando, Sebastian rolou a cabeça no travesseiro.

– Fique aqui. Vou ver quem é.

Com um beijo suave nos lábios dela, levantou-se e enfiou as calças. Pescou a camisa do chão e a vestiu, então alcançou a vela e se arrastou escadas abaixo.

– Seja lá quem for – ele trovejou ao deslizar a tranca – é melhor que tenha uma boa razão para bater em minha porta no meio da noite.

Abriu a porta.

– Acredite, eu tenho uma excelente razão.

Giles Perry estava parado na soleira, segurando um lampião com a mão esquerda. Vestia uma capa escura amarrada nos ombros e trazia uma expressão assassina no rosto.

– Eu vim para fazer isso!

Ele deu um passo para trás e desferiu um soco bem no meio das costelas de Sebastian.

Ufa. O golpe pegou Sebastian de surpresa, mas foi só. Perry não tinha robustez nem força para dar um soco que pudesse machucá-lo. Sebastian nem mesmo cambaleou um passo para trás e, ao constatar o lastimável desapontamento no rosto de Perry, quase se sentiu envergonhado por sua falta de reação. Ele se perguntou se deveria pelo menos titubear e fingir um gemido dramático por educação.

Mas então se lembrou de que aquele era o homem que havia abandonado Mary no altar, – e Sebastian não se sentiu mais inclinado a ter pena.

– Como ousa vir até aqui? – ele rosnou.

– Como ousa estar aqui? – Perry rebateu, indignado.

– Esta é minha casa. Tenho todo o direito de estar aqui.

– Você não tem direito algum de estar aqui com *ela*! – Perry passou por baixo do braço de Sebastian e entrou no chalé. – Eu vim resgatar Mary.

– Resgatá-la do quê? De um festival de orgasmos?

– De você, seu... rufião obsceno.

Ah, não, aquilo já era demais!

– Escute aqui, seu mentecapto, você não pode reivindicar mais nada de Mary. Perdeu esse direito quando quebrou sua promessa e a deixou plantada esperando no altar. E a única razão pela qual não tem um buraco de bala no peito é porque ela me implorou para poupar sua vida.

– Do que está falando? Eu não a abandonei.

– Estou bem certo de que abandonou. Eu estava lá, você não.

– Porque honrei o pedido de Mary. *Ela* terminou comigo. Não eu.

– Seu mentiroso de uma figa...

– Ele não está mentindo – Mary surgiu no alto da escada, vestindo uma camisa de Sebastian. – Está falando a verdade. Fui eu que cancelei o casamento.

Sebastian sacudiu a cabeça em descrença.

– Não pode ser... Isso não faz o menor sentido.

Perry adiantou-se para confrontá-la diretamente.

– Você fugiu com esse bandoleiro? Por vontade própria?

– Ele não é um bandoleiro. E como nos encontrou aqui?

– O cocheiro me contou, quando finalmente retornou. Sabia que eu estava pagando aquela carruagem por hora? – ele balançou a cabeça, irritado. – Isso deveria ser um acordo discreto. Você ficaria solteirona, e eu teria um assento na Câmara dos Comuns.

– Você ainda será um Membro do Parlamento. Não é como se precisasse angariar votos. Você vai comprar um burgo podre.[3] Com o meu dote, devo acrescentar.

Sebastian não conseguia acreditar no que estava ouvindo.

– Você deu o seu dote para ele?

– Sim. – Ela terminou de descer os últimos degraus. – Em troca de me desobrigar do noivado tão em cima da hora.

– Eu nunca deveria ter concordado – Perry interveio. – Eu tinha um futuro promissor no Parlamento, sabe. Poderia me tornar Primeiro-Ministro um dia. É o que todo mundo diz, mas agora, quando tudo isso vier à tona, vou me tornar motivo de chacota em toda Londres.

– Oh, Giles... Por favor. Ninguém pensa em você nem metade do que você acha que pensam.

– Como é que é? Eu estou nos jornais pelo menos duas vezes por ano.

– Você é um homem de uma família influente. Abafe o escândalo e compre seu assento no Parlamento. Daí em diante, construa sua reputação na política... e, se me permite acrescentar, vai ser até melhor assim. No máximo, as pessoas vão julgar que você escapou por pouco. Vão inferir que foi minha culpa e que você fez bem em se livrar de mim.

– Ajude-me a entender o que está acontecendo aqui, Mary – Sebastian apertava a ponta de seu nariz. – Se você cancelou o casamento naquela manhã, por que foi à igreja? E com todos os seus baús prontos?

Mary olhou para todos os cantos menos para ele.

– Oh, meu Deus. Você *planejou* tudo isso?

– De certo modo. Eu não tinha como saber se você ia sugerir uma fuga, mas deixei tudo preparado caso sugerisse.

– Mas você disse que *não queria* fugir. Foi contra o tempo todo.

– Porque eu sou do contra. Está no meu sangue – ela mordeu o lábio. – Se eu concordasse de primeira, você teria suspeitado.

Sebastian deu-lhe as costas, passando a mão pelos cabelos.

– Inacreditável.

– Me desculpe. Sei que errei. Mas já fazia um ano que eu estava preocupada com o seu sumiço. Você nunca mais foi me visitar... e há meses eu percebi que não podia levar essa história do casamento adiante e...

– Há *meses*? – Perry guinchou.

---

[3] Na Inglaterra da época, a corrupção política era muito grande. "Burgos podres" era o modo usado para se referir a distritos eleitorais comprados por candidatos que queriam votos para ingressar no Parlamento. (N. T.)

– Por que ainda está aqui? – Sebastian girou para encará-lo.

– Porque... – Perry puxou a bainha de seu colete. – Creio que também mereço um pedido de desculpas.

– Para o inferno se você acha que vai ouvir um de mim.

– Sinto muito, Giles. – Mary se aproximou dele – Muito mesmo. Deveria ter desmanchado nosso noivado há eras. Mas eu teria lhe prestado um tremendo desserviço se me tornasse sua esposa. Acho que nós dois sabemos que não combinamos em nada.

– Talvez não, mas... – Perry apontou com ojeriza na direção de Sebastian. – Mas, de todos os homens, tinha que ser justo ele?

– Sim – ela olhou de relance para Sebastian. – De todos os homens, só podia ser ele.

A emoção apertou seu coração como um punho cerrado.

– Você ouviu a minha dama – ele disse a Perry. – Agora já pode ir. Volte para Londres e divirta-se levando ainda mais corrupção ao Parlamento.

Perry finalmente começou a sair do chalé, mas deteve-se segurando o trinco da porta:

– Para o seu governo, tenho vários planos em benefício dos pobres e dos enfermos.

– Dê o *fora*!

O homem, enfim, foi embora e Sebastian concentrou-se em sua desleal esposa. Com as mãos em prece na frente do corpo, Mary começou:

– Eu te devo um mundo de explicações.

– Você pode oferecer quantas explicações quiser, mas não há desculpa para isso.

– Você pode pelo menos me ouvir?

Não, ele iria falar primeiro.

– Você mentiu para mim! Me fez acreditar que estava abandonada, sozinha, vulnerável. Quando Henry e eu fomos para a guerra, prometi que te protegeria se ele não retornasse. Passei os últimos dias me torturando, sabendo que honrei a promessa de te proteger o melhor que pude, mas ao mesmo tempo acreditando que tinha sido às custas da sua felicidade. Agora descubro que tudo não passava de um engodo. O que mais nisso tudo é mentira?

– Mais nada, eu juro. Todo o resto é verdade – ela se aproximou. – Sei que menti sobre ter sido abandonada. Foi errado da minha parte. Mas se você se importa comigo, e quer construir uma família juntos... É tão terrível assim saber que foi você que eu sempre amei?

– Não sei se posso acreditar nisso agora.

Mal pôde acreditar nessas palavras quando as ouviu pela primeira vez. Por que diabos deveria aceitá-las agora?

– Você acha que eu mentiria para você? Sobre o dia em que fiquei sabendo da morte do meu próprio irmão? – A voz dela estava embargada de emoção. – Se o conceito que você tem de mim é tão baixo, podemos anular o casamento. Ninguém mais sabe, exceto o cocheiro e Giles. E Dick e Fanny, mas para quem eles iriam contar?

– A Igreja sabe. Eu sei. Nós fizemos votos. Nós... – ele gesticulou impaciente – ...consumamos o casamento.

Ora, quem diria. Ele estava usando um termo técnico por conta própria.

– Um casamento pode ser anulado sob alegação de fraude – ela disse. – Se você fizer tal arguição, não vou me opor.

– Oh, uma ova que vou anular este casamento. Você não vai se livrar assim tão facilmente. – Sebastian inspirou fundo, tentando se controlar. – Estou longe de ser um homem perfeito, mas, se tem algo que prezo acima de tudo, é o fato de que sempre cumpro minhas promessas.

– Eu sei.

– Exatamente, Mary. Você sabe. Você *sabe*. E usou isso contra mim.

Ela abaixou a cabeça, concordando em silêncio.

– Você tem razão. Eu usei. Agora entendo... E é imperdoável.

Arrasada, virou-se e subiu as escadas.

Sebastian não foi atrás dela.

Mary passou o resto da noite andando de um lado para outro, chorando e esperando ouvir os passos dele. Na esperança de que ele voltasse e lhe desse a oportunidade de se desculpar e considerasse a ideia de lhe dar uma segunda chance.

Antes da chegada de Giles, eles estavam na beira de algo verdadeiramente maravilhoso. E por causa de sua estupidez, Mary fez com que retrocedessem anos; não sabia como o convenceria a confiar nela de novo. Mas não importava quanto tempo levaria, não desistiria. Ao amanhecer, finalmente ouviu barulho de movimentação no andar de baixo. Correu até a porta e apurou os ouvidos, prendendo a respiração. Nenhum passo.

Então, ouviu o barulho de rodas de carruagem esmigalhando o cascalho. Distanciando-se.

Não.

Mary olhou ao redor do quarto, entrando em pânico. Meu Deus, ainda estava descalça e vestindo nada além da camisa de Sebastian. Não teve forças para se trocar e agora não havia tempo para procurar outra roupa. Saiu correndo do quarto e voou escada abaixo, descalça, quase caindo em sua investida alucinada para a porta da frente.

– Sebastian! Sebastian, espere! Não me dei...

Aiii. Ao abrir a porta, colidiu com algo. Algo alto, forte e divino.

– Sebastian! – Ela lançou os braços ao redor de seu pescoço e o abraçou bem forte. – Graças a Deus você ainda está aqui. Pensei que tinha me deixado.

– Eu disse que não a deixaria. O que te fez pensar isso?

Mary se afastou e procurou seus olhos.

– A carruagem. Ouvi-a partindo.

– Ah, sim. Eram Dick e Fanny de saída.

– Não me diga que você os demitiu? Sei que eram péssimos, mas eram bem-intencionados.

– Não os demiti. Eu os enviei de férias para Ramsgate.

– Sebastian, você não fez isso... – ela pestanejou, maravilhada.

– Fiz. Eles ficarão em um quarto no melhor estabelecimento, com pensão completa e todas as despesas pagas por uma semana. E nós... – ele colocou as mãos na cintura dela – estamos por conta própria.

– Só nós dois?

Ele fez que sim.

– A semana inteira?

– Receio que sim – ele balançou a cabeça, fingindo desânimo. – Teremos de preparar nossa própria comida. Cortar nossa lenha. Fazer nada além de caminhar pela praia à tarde e sentar diante da lareira à noite com uma taça de vinho – e então, com olhos obscuros, acrescentou: – Bem, e também ir para a cama cedo.

– Oh, céus! Que provação. – Mary pousou a mão na bochecha dele. – Isso significa que você me perdoou?

– Não sei. Ainda estou bravo com você e passei a noite em claro pensando no que fez. Você mentiu para mim.

– Eu sei.

– Mas também abriu mão de seu dote e da chance de um casamento seguro, arriscando ficar arruinada e solteirona por minha causa. E me parece que também devo levar isso em conta.

– Eu só fiz o que fiz porque te amo demais. E desconfiava que você também poderia sentir algo por mim, mas sabia que jamais daria o primeiro passo. E se eu tivesse declarado meus sentimentos, você teria fugido o mais depressa que Shadow pudesse te carregar. Você nunca teria se casado comigo a menos que acreditasse que fosse para me socorrer.

– Gostaria de poder contradizer seus argumentos, mas suspeito que você está certa.

– Eu estou sempre certa.

Ele a encarou.

– Na maioria das vezes – ela emendou. – Se ajudar, meu primeiro plano não envolvia maquinação alguma. Eu iria simplesmente te seduzir. Mas não estava confiante de que poderia ser bem-sucedida.

Sebastian deu um sorriso malicioso.

– Oh, você teria sido muitíssimo bem-sucedida.

– Mesmo?

– Sem dúvida – ele a puxou para perto, repousando sua testa na dela. – Mary, Mary, você realmente me ama tanto assim?

– Mais. Você precisava ter visto o meu terceiro plano se esse não tivesse funcionado. Envolvia ladrões de estrada.

Sebastian riu. Um riso quente, leve, que fez seu coração voar.

Mary o desarmara agora. Não podia mais mantê-la afastada.

– Eu te amo – ele murmurou. – Nossa, como é bom finalmente falar isso. Eu te amo, Mary.

Ele foi beijá-la, mas então parou:

– Acabei de pensar em uma coisa: se seus baús não foram arrumados para uma lua de mel com Giles Perry, quer dizer que todas aquelas camisolas, na verdade, eram...

– Para você? – ela sorriu. – Sim.

– E você tem mais?

– Que tal me levar lá para cima e descobrir por conta própria?

Não precisou pedir duas vezes. Sebastian passou o braço dela pelo seu pescoço e, enlaçando-a pelas coxas, jogou-a sobre seu ombro antes de subir as escadas.

Mary torceu para que tivessem montado a cama direito, porque ia passar por uma semana inteira de testes.

Epílogo

– Saia da frente da janela, querido – Mary pediu. – Você está deixando marquinhas de nariz em todo o vidro.

Henry fez um bico.

– Você disse que o papai voltaria a tempo para o chá.

– E ele voltará. Ele prometeu, e seu pai sempre cumpre suas promessas.

Mary também estava ansiosa pela chegada de Sebastian. Cuidar dos quatro filhos na ausência dele tinha deixado seus nervos à flor da pele. Quando estavam em Londres, ou na Byrne Hall, ela contava com a ajuda de uma ama, mas quando vinham passar as férias anuais ali no chalé, gostavam de ir apenas em família. Com a adição de Dick e Fanny Cross, é claro.

Trocou Molly, a caçula, de braço e limpou a baba do rostinho redondo. A coitadinha tinha um novo dentinho nascendo. William, pelo menos, tinha subido para tirar uma soneca, mas Jane e Henry não davam um minuto de sossego.

Um dia, Mary concluiria sua mais recente e estridente carta ao editor do *The Times* – mas não seria hoje.

– Acho que o papai vai se atrasar – disse Jane.

– Não, ele não vai.

– Vai, sim. Por causa da chuva.

– Não está chovendo – Henry objetou.

– Não está chovendo agora, nem aqui. Mas estava chovendo forte uma hora atrás. As nuvens se moveram, então é bem provável que esteja chovendo em cima do papai agora. Talvez ele até tenha que parar em algum lugar.

– Ele estará aqui – Mary silenciou os dois. – Ele nunca perdeu nenhum aniversário de vocês.

– Não é uma promessa tão difícil de cumprir, considerando que três dos nossos aniversários são no mesmo mês. Henry é o único que ficou de fora... – Jane franziu o nariz, pensativa. – É uma bela coincidência, não?

Mary apenas sorriu. Não era coincidência alguma que três dos quatro filhos tivessem nascido em março. Não se considerassem que eles passavam férias no litoral de Kentish todo ano no mês de junho.

Era alguma coisa com aquela cama.

Mary só rogava para não estar por perto quando Jane finalmente ligasse os pontos e descobrisse a verdade. Era muito esperta, aquela ali.

Colocou Molly para brincar no chão e convidou Henry a se sentar no seu colo:

– Henry, eu já te contei sobre a noite em que você nasceu?

– Só umas cem vezes – Jane revirou os olhos.

Ignorando a queixa da mais velha, Mary abraçou Henry.

– Você veio antes da hora. Eu estava em Byrne Hall, e seu papai estava em Londres. Eu despachei uma mensagem pelo expresso, mas jamais pensei que seria possível ele chegar antes de você. Seu pai cavalgou a noite toda... e no meio da chuva, veja só... e chegou bem na hora de lhe dar as boas-vindas ao mundo. Ele estava lá no seu primeiro aniversário e estará aqui para ver você completar 6 anos. Nunca duvide.

Molly pressionou a mãozinha melecada na janela:

– Papa!

– Viu? – Henry lançou um olhar vitorioso à irmã mais velha. – Eu te falei que ele chegaria a tempo para o chá.

– E eu te falei que estava chovendo.

Sebastian atravessou a porta pingando de chuva e com as botas enlameadas.

– Ouvi dizer que tem um jovem mestre aqui que está completando 6 anos hoje. Quem poderia ser?

– Sou eu! – Henry correu para abraçar o pai, seguido de perto por Jane. Molly também foi com seus passinhos cambaleantes de bebê, esticando os bracinhos:

– Papa, colo.

William veio correndo escada abaixo, esfregando os olhos sonolentos, e pulou nas costas do pai. Mary trocou um olhar de divertimento com o marido.

– Você parece uma árvore de crianças.

Uma árvore de crianças extraordinariamente bonita. Mesmo depois de todos aqueles anos, Sebastian ainda lhe tirava o fôlego.

– Vem comer bolo, papai.
– Podemos nadar amanhã?
– Você trouxe doces da cidade?
– Papapapapapa.
Mary veio em seu socorro, espantando as crianças.
– Deem um minuto ao pai de vocês. Ajudem a Sra. Cross a arrumar a mesa para o chá.
Assim que os pequenos saíram espevitados, a esposa finalmente conseguiu cumprimentar Sebastian com um beijo seu.
– Caso não tenha notado, sua falta foi bastante sentida. – Ela o ajudou a tirar o casaco. – A estrada estava muito ruim?
– Shadow e eu já passamos por piores.
– Estou tão feliz por você estar de volta. Seus filhos me deixam exausta.
Sebastian deu uma risada.
– Vou levá-los à praia amanhã, assim você pode descansar um pouco.
– Não, não precisa fazer isso.
– Oh, eu preciso – ele a abraçou, sua voz ficando grave. – Você vai precisar de descanso amanhã, porque eu pretendo te manter acordada até bem tarde hoje à noite.
E a beijou com um amor ilimitado e uma paixão tão intensa, que transmitiam uma mensagem inconfundível.
Era melhor não fazer planos para o próximo mês de março.

Duquesa por um dia

CHRISTI CALDWELL

Prólogo

– Você é forte e magnífica. Nunca vi ninguém trabalhar tão arduamente quanto você. Estou *completa* e absolutamente *fascinado*.

– Obrigada.

Deitada de barriga para baixo, balançando os pés para cima, Elizabeth recebeu com um olhar vívido o intruso que lhe falava.

Crispin Ferguson, que aos 14 anos era o futuro Duque de Huntington e o atual Marquês de Lothian, sorriu em resposta.

Elizabeth franziu o cenho para ajustar os óculos.

– Quieto, Crispin. Não estou falando com você – E, redirecionando a atenção ao exuberante manto de grama das terras do duque, Elizabeth continuou a observar o solo. – Onde você está? Onde está? – murmurava.

– Se eu fosse como a maioria dos garotos, estaria ofendido com tanta atenção.

– Você não é como a maioria dos garotos, Crispin – ela disse baixinho, usando seu primeiro nome com a facilidade e familiaridade típica das amizades de longa data. Amizade também um tanto improvável entre Elizabeth, filha de um simples comerciante, e o pai de Crispin.

– Obrigado – ele repetiu uma vez mais.

– Não foi um elogio – ela esclareceu, sem malícia. – Você é o filho de um duque e, portanto, vive uma existência inteiramente diferente de... bem, de todo mundo. Estou apenas constatando os fatos.

– Dos quais você sempre esteve em posse.

– Dos quais nós sempre estivemos em posse – ela sorriu.

A paixão que compartilhavam pela vida acadêmica havia sedimentado a amizade de ambos desde o princípio. Desde a mais tenra idade, tinham sido unidos pela paixão por peculiaridades e pela ciência e tudo o que havia nesse ínterim.

Bem então, Elizabeth captou um movimento quase imperceptível.

– Aí está ele – disse, entusiasmada. Apoiando os cotovelos no chão, Elizabeth aproximou-se do esplêndido espécime do qual permitira que sua atenção se desviasse.

Mas os óculos escorregaram de seu rosto e caíram no chão e o mundo inteiro tornou-se um grande borrão. Frenética, tateava ao redor, procurando, procurando... até que um par de membros embaçados entraram em seu campo de visão:

– Aqui – Crispin murmurou. – Estão comigo. Ele estava prestes a dar um passo quando ela gritou. Levantando-se de um pulo, Elizabeth jogou-se em cima dele.

– Não!

– O que...? – A pergunta foi abruptamente interrompida conforme ela o atingia em cheio. E eles se estatelavam no chão.

Ou melhor, *Crispin* se estatelava.

E gemia.

Aliás, a queda de Elizabeth foi amortecida pelo corpo esguio de Crispin. Retraindo-se, ele esfregava a parte de trás da cabeça.

– E toda aquela história de "você é um futuro duque, é diferente"? – resmungou. – Não deveria bastar para impedir que um garoto não fosse nocauteado?

Elizabeth o espanou de baixo a cima, até que seus narizes se tocaram. Sem os óculos, o rosto dele não tinha um contorno nítido e, no entanto, seus traços eram mais familiares e queridos até mesmo que os dela.

– Você ia machucá-lo.

Em sintonia, ambos olharam para o local sobre o qual Elizabeth debruçara-se momentos antes.

– Ah, o seu mais novo amor – ele disse, finalmente compreendendo. E abriu a palma da mão, mostrando a armação de metal. – Aqui – sussurrou, e, como já havia feito tantas vezes antes, ajeitou os óculos sobre o nariz de Elizabeth... o mundo tornou-se nítido mais uma vez.

– Ele é *tão* maravilhoso, Crispin – declarou, tropeçando nas palavras de tanta euforia. – Ele é...

– Forte e te inspira a trabalhar arduamente. Vejo que está completa e absolutamente fascinada. Nem se compara a um duque ou ao filho de um duque qualquer, eu sei. Preciso mesmo conhecê-lo.

– Ora, deixe de bobagem – ela pegou a mão de Crispin e o puxou. – Você nunca foi do tipo que procura elogios. – Ao contrário de outros garotos da mesma idade que o Duque e a Duquesa recebiam como hóspedes.

– Eu estava brincando – explicou-se, enquanto se deixava levar.

– Não é hora de brincadeiras, Crispin! – Elizabeth parou abruptamente e ergueu a mão para sinalizar ao amigo que ficasse quieto a seu lado. – Ele está aqui – apontou para o punhado de pedras meticulosamente arranjadas em um círculo no chão. – Ou *estava* – balbuciou com o coração na mão. – Não sei ao certo a que velocidade é capaz de se mover... – Ajoelhando-se, Elizabeth vasculhou o solo com toda a paciência e com todo o cuidado do mundo e, enfim, o localizou. – Está aqui – anunciou com o coração acelerado.

De canto de olho, viu Crispin se aproximar com passos cautelosos e juntar-se a ela. Não pôde deixar de encará-lo.

Crispin observava o inseto inteiramente absorto. Seus olhos ávidos não piscavam nem se desviavam da formiga, que ziguezagueava carregando um grande fardo nas costas minúsculas.

– É *magnífico* – sussurrou, como se tivesse se esquecido completamente de Elizabeth.

E essa adoração, esse amor pela natureza e pela ciência era um sentimento que ela conhecia muito bem, que entendia e apreciava. Era um amor *compartilhado*. Ao passo que as outras crianças da vila há muito zombavam de Elizabeth por seus interesses peculiares, Crispin não só a defendera como havia se juntado a ela nas explorações.

– Ora, está carregando uma...

– Aranha – ela o interrompeu animada. – E é muito maior que ele.

– Acha que ele a matou?

– Não vi – ela balançou a cabeça. – Reparei que a aranha estava se mexendo de um jeito muito estranho e só então percebi que estava morta e que a formiga era responsável por aquele movimento.

– Incrível – Crispin murmurou.

Ela encarou novamente o amigo para dizer... algo sobre a descoberta, mas esqueceu o que era. Todos seus pensamentos se perderam.

Aos 11 — quase 12 — anos de idade, Elizabeth nunca havia prestado muita atenção em Crispin... ou em qualquer outro garoto. Não desse jeito. Garotos eram... bem, eram só garotos. Assim como garotas eram garotas. E, com exceção da curiosidade sobre as diferenças físicas entre meninos e meninas, nunca havia se atentado para o fato de que Crispin era realmente bem... bonito.

Claro que se tratava de uma descoberta puramente científica. Seu cabelo era tão escuro; preto como o carvão que, certa vez, tinha sido objeto de seus experimentos. O nariz era similar ao das estátuas de mármore que ela admirava no jardim do duque. As estátuas nuas do duque.

Fez uma careta. Claro que já tinha visto Crispin pelado várias vezes quando nadavam juntos. E nem de longe era bonito ou fascinante. Mas o rosto era.

– Ela precisa de um nome – Crispin dizia.

– Sim. *Ele* precisa. – Como era do costume dos dois, o objeto de seus estudos eram todos devidamente nomeados e classificados para propósitos científicos.

Crispin virou a cabeça tão de repente, que seus narizes quase roçaram.

– Por que tem tanta certeza de que é um macho?

– Eu... – Ela abriu a boca, mas as palavras não saíram. Afinal, sua primeira e imediata hipótese tinha sido mesmo de que a formiga era um macho.

– Trata-se de um espécime engenhoso, habilidoso e focado – ele abriu um sorriso vagaroso. – Eu poderia muito bem estar descrevendo *você*, Elizabeth Brightly.

Um sorriso se formou em seus lábios e Elizabeth deu um empurrãozinho com o ombro.

– Está zombando de mim.

– Você sabe que sou uma negação para zombar de você – respondeu com os olhos cintilantes. – No entanto sou bastante habilidoso em constatar fatos.

E, juntos, admiraram mais uma vez a criatura.

– Temos de trazer Brightly conosco.

– Trazê-la...? – Desde que se mudara para Eton, Crispin raramente aparecia. Quando ele partiu, Elizabeth ficou verde de inveja ao pensar em tudo o que ele aprenderia, e tudo o que ela *não* aprenderia em sua ausência. Mas somente quando a carruagem se afastou e ele se foi, que ela se deu conta do enorme vazio que Crispin deixara ao partir. – Ela não pode ir para Eton.

– Não Eton. Aqui. Pelo menos durante o verão – Crispin sentou-se ereto e procurou algo dentro de seu casaco. Então pegou um pequeno recipiente de vidro que sempre carregava consigo. Quantas plantas, flores e insetos tinham recolhido com aquele frasco para estudá-los mais perto da mansão. Só que, cada vez que capturavam uma nova descoberta, a vida da criatura mudava para sempre... Assim como a de Elizabeth quando

Crispin foi embora. A criatura ficava tão perdida quanto Elizabeth; um peixe fora d'água.

Crispin baixou o tubo cilíndrico para recolher Brightly.

Brightly que havia sido nomeada em homenagem a Elizabeth, que ficaria presa em um lugar ao qual não se encaixava nem pertencia.

– Não!

Ao ouvir o grito da menina ecoar por todo o condado de Oxfordshire, Crispin se deteve.

– Você não pode.

– Mas... — Crispin franziu o cenho bronzeado.

– Ela não pertence a nós, Crispin – explicou com suavidade. – Quem somos nós para tirá-la de seu lar e de sua felicidade e levá-la para um lugar onde ela não quer estar somente para satisfazer nossos caprichos? – e sorriu. – É um destino terrível, que não desejo a ninguém. – E muito menos para uma linda criatura como a formiga trabalhadora que tinham diante de si.

– Mas sempre fizemos isso – ele argumentou, no mesmo tom que usava quando tentavam resolver algum quebra-cabeça complicado.

– Sim, mas não significa que está certo. – Elizabeth concentrou-se em Brightly, que seguia com seu trabalho árduo.

– Você é a pessoa mais esperta que conheço – Crispin disse com suavidade. – Eu juro que um dia vou me casar com você, Elizabeth Brightly.

Rindo, Elizabeth não desviou o olhar da formiga solitária carregando uma migalha maior que o próprio corpo.

– Não seja bobo, Crispin Ferguson – ela murmurou, pressionando o rosto ainda mais perto do solo. – Você não pode se casar comigo.

– E por que não? – ele exigiu, a afronta em sua voz de 14 anos atraindo o olhar dela. – Posso me casar com quem eu quiser!

Elizabeth revirou os olhos. Inteligente como era, sabia muito bem que filhos de duques certamente não desposavam filhas de comerciantes. Mesmo que tais comerciantes fossem amigos do duque.

– Não – Elizabeth revirou os olhos. – Você não pode. Sua mãe não vai deixar. Você precisa se casar com uma dama elegante como Lady Dorinda, que faz uma reverência muito boa e não espalha lama pelos corredores. – Assim que disse isso, Elizabeth sentiu um gosto ruim na boca. Não gostava nem um pouco da ideia de Crispin casado com Lady Dorinda. Lady Dorinda jamais observaria formigas com ele.

Crispin deu um sorriso maroto:

– Pois espere e verá, Elizabeth Brightly.

Vida como uma duquesa? Usando vestidos refinados e tomando chá e entretendo convidados igualmente refinados. Ser uma duquesa era a última coisa no mundo que Elizabeth desejava ser.

Exceto se... tornar-se uma duquesa lhe permitisse ficar para sempre com Crispin... estaria disposta a permitir que ele falasse em casamento.

Analisou-o. Com o caderninho e um lápis em mãos, Crispin estava totalmente concentrado tomando notas sobre a mais recente descoberta.

Elizabeth suspirou.

Sim, uma vida com Crispin valeria as misérias que envolveriam se tornar uma dama da sociedade.

Disso, Elizabeth Brightly não tinha a *menor* dúvida.

Capítulo 1

Surrey, Inglaterra
1821

Para todas em Wallingford, a Sra. Elizabeth Terry era só mais um infeliz dragão da Escola de Etiqueta e Boas Maneiras da Sra. Belden. Seus dias consistiam em lecionar a estudantes igualmente infelizes as artes e habilidades femininas para laçar um marido. E, então, repetir dia após dia essas mesmas lições para outras jovens desafortunadas o bastante para serem estudantes naquele lugar lúgubre.

E as principais damas da sociedade que recorriam a tal estabelecimento faziam vista grossa à ironia de que eram instruídas por mulheres que tinham um falso "Sra." anexado ao nome para lhes conferir um ar de respeitabilidade. Na verdade, não passavam de solteironas ou de mulheres miseráveis obrigadas a trabalhar para sobreviver.

Isto é, nem *todas* elas.

– Como é que *ela* poderia nos dar aulas de caça ao marido?

De pé na frente do recinto que fazia as vezes de sala de aula, Elizabeth sentiu as bochechas queimarem diante daquele sussurro nada discreto. Aos 26 anos, no entanto, e sozinha há mais anos do que qualquer pessoa deveria estar, era preciso muito mais para abalar suas estruturas.

– O que foi que disse? – ela desafiou, a notável frieza de seu tom irremediavelmente arruinada conforme os óculos de aros finos escorriam pelo nariz.

As demais jovens sentadas ao lado da insolente habitual, Lady Claire Moore, ficaram em silêncio, baixando o olhar para o colo.

Filha de um duque e afilhada da rainha, Lady Claire tinha um comportamento indiferente com o qual todos os instrutores da Sra. Belden e até a própria diretora, que era uma megera, não conseguiam lidar.

– Ca-sa-men-to – disse lentamente a aluna de 17 anos, enfatizando cada sílaba.

A garota ao seu lado deu uma risadinha, mas logo abafou o riso.

Lady Claire mediu Elizabeth da cabeça aos pés, mantendo o foco na saia cinza. Saia esta que era grande demais para sua estatura pequena e a deixava um tanto disforme.

– Perguntei como é que *você* poderia nos ensinar a encontrar um marido.

Não poderia. Elizabeth não era tão tola a ponto de acreditar que sabia algo sobre paquerar ou seduzir... quem quer que fosse.

– Silêncio. Não seja inconveniente! – Lady Nora saiu em uma defesa chocante. Afinal, havia uma espécie de acordo, tácito ou não, de que ninguém defendia os dragões.

– Você a está defendendo? Um dos dragões? – Lady Claire gracejou. – Se bem que, agora que seus pais morreram e seu irmão só quer saber de correr atrás de rabos de saia, você decerto será o próximo drag...

Levantando-se de um pulo, Lady Nora atirou-se sobre a outra moça.

Ai, caramba!

Elizabeth avançou e rapidamente se colocou entre as duas.

– Já basta – interveio em um tom perfeitamente modulado.

Tinha aprendido desde cedo que gritar surtia pouco efeito em estudantes teimosas. O mesmo para aulas em que os ânimos estão acalorados. Se alguém realmente desejava interferir em uma situação tensa, era melhor fazê-lo com calma.

Lady Nora recuou imediatamente, mas pairou ao lado da outra garota. Uma Lady Claire trêmula e mortificada se afundou em seu assento.

Elizabeth olhou para a jovem que andava à flor da pele, identificando-se com aquela menina que havia perdido os pais havia pouco.

– Por favor, sente-se – murmurou.

Raiva, medo e perda, Elizabeth sabia exatamente o que Lady Nora estava sentindo. Só que, enquanto a jovem tinha um irmão mulherengo, Elizabeth não tinha... ninguém. É claro que um irmão cafajeste que não visitava a própria irmã era mais ou menos o mesmo que não ter irmão.

Tensa e relutante, Lady Nora voltou ao seu lugar.

– Agora, como eu estava dizendo... – ela franziu o cenho. Droga! O que estava dizendo?

– Que devemos estabelecer limites com os cavalheiros? – acudiu a Srta. Peppa, um tanto prestativa. Fortemente arredondada, com bochechas grandes e cabelos castanhos e finos, a menina de 16 anos, uma das alunas novas, ergueu os olhos do caderninho e do lápis que apertava nos dedos.

– Nenhum conselho da Sra. Terry ou de qualquer outra pessoa pode te ajudar a conseguir um marido – resmungou Lady Claire.

Lady Nora desferiu um chute bem no tornozelo da jovem.

Um grito escapou dos lábios da outra dama.

– Como se atreve?

– Oh, e eu me atrevo a fazer de novo – respondeu Nora com um sorriso sarcástico.

Uma discussão estourou no mesmo instante, ambas as garotas desfiando insultos e palavras de ódio uma para a outra.

Maldição! Elizabeth bateu as palmas das mãos no rosto. Jamais levaria jeito para aquilo. Era o milagre do século a intolerável Sra. Belden ainda não ter desmascarado a farsa que Elizabeth havia perpetuado: ela era uma péssima professora.

– Chega! – disse com as mãos ainda no rosto. Ao ver que a dupla continuou guerreando após seu comando, Elizabeth levantou a voz: – Eu disse CHEGA!

Sua voz ecoou pela sala, trazendo um silêncio retumbante. Também tinha aprendido que elevar a voz era recurso de alguma eficácia se raramente utilizado. Essa foi uma dessas raras ocasiões.

Um mar de olhos assustados olharam de volta para ela.

Elizabeth aproveitou para prolongar aquele momento. Encarou com severidade cada uma das meninas, sem exceção. Concentrou-se, enfim, na mocinha que apertava o lápis contra o caderno. Alguém que ainda acreditava que Elizabeth pudesse ter alguma sabedoria para transmitir a uma jovem mulher sobre a arte de laçar um marido. Ela não tinha. Isto é, tudo o que sabia vinha dos textos enfadonhos que a Sra. Belden insistia que as professoras usassem em suas aulas e não de qualquer experiência real.

– Prosseguindo... – ela finalmente disse, alisando a saia. – A arte de encontrar um marido é a mais refinada das artes.

Uma risadinha se seguiu a essa declaração tão tola, que também era exigência da diretora. E, se os papéis estivessem invertidos e fosse Elizabeth sentada naquele sofá azul-claro, ela também teria tido uma reação similar. Mas não estavam. E ela era uma mulher dependente de seu papel ali.

Como tal, lançou um olhar incisivo à garota, que imediatamente se calou.

– Contudo, antes de se empenhar na busca por um marido, uma dama deve identificar o tipo de homem com quem deseja passar o resto de seus dias.

Até que a morte os separe...

E com tal desvio do roteiro habitual definido pela Sra. Belden para o curso de caça ao marido, todas as alunas ficaram em silêncio e vieram mais para a frente em seus assentos – o que era bastante significativo, já que Lady Claire e Lady Nora não haviam conseguido semelhante façanha em todos os anos em que servia como instrutora.

Desfrutando da atenção recém-descoberta de suas pupilas, Elizabeth percorreu a sala, prolongando o silêncio, aumentando a expectativa.

– Com quem uma dama deseja se casar? Um cavalheiro que tenha um título?

– É claro – afirmou Lady Claire.

– Um cavalheiro rico? – Elizabeth continuou.

– Um marido rico é essencial – outra garota interveio.

– Decerto, dinheiro é essencial e um título, desejável. – Elizabeth parou ao lado do braço do sofá de Lady Claire. – Mas e quanto ao homem em si? Deveria uma dama casar-se com um tolo apenas pela fortuna? Desposar um conquistador infiel por um título?

Todos os pares de olhos na sala estavam fixos nela, absortos.

– Ou será que uma dama deveria escolher um cavalheiro atencioso? Alguém que seja inteligente o bastante para discutir textos e assuntos importantes e que, ainda por cima, a estimule a usar sua mente?

– Ela está dizendo que devemos nos tornar... sabichonas?

O sussurro escandalizado veio de algum lugar no canto da sala, alertando os sentidos de Elizabeth.

Diabos! Vou acabar sendo demitida.

Pigarreando, Elizabeth se adiantou para a frente do cômodo e pegou o diário em que tinha escrito as lições seis anos antes. Folheou as páginas, procurando, procurando até encontrar.

– Mas o que todas vocês precisam é de um marido – forçou-se a ler.

Ai, ai, ai, que Deus a perdoe por ser egoísta. Por mais que preferisse ensinar as jovens ali presentes a usarem a própria mente, seria expulsa se agisse assim. Já tinha enfrentado o perigo de não ter nada nem ninguém anos antes. Era uma vida para a qual não gostaria de retornar. Por isso, Elizabeth leu:

– "Um cavalheiro com título é o ideal. Quanto mais elevado o título, mais segurança e *status* na sociedade..." – *Meu Deus, que lixo! Como se casar com um duque fosse sinal de decadência*. – "Um marido de linhagem nobre é nobre por causa de..." – ela fez uma careta, se esforçando para mover a língua e pronunciar aquelas palavras. – "...por causa de seu *pedigree*."

– Igual um cachorro – resmungou Lady Nora.

Sim, a maioria deles era isso mesmo. Cães nobres, mas um cachorro ainda era um cachorro.

– "Convém a uma dama estabelecer relações com alguém que tenha estreitas conexões com a família do partido elegível..." – Elizabeth pigarreou. *Mais lixo*. – "...o que não significa, no entanto..." – Passos soaram no corredor, alguns pesados e outros mais leves. – "...que deva negligenciar outros atributos valiosos tais como..." – Fez uma pausa em sua leitura mecânica para virar a página. – "...a disposição de um cavalheiro em apoiar suas aspirações de se tornar uma anfitriã social de destaque." – Engasgou de leve. *Inferno, eu vou para o inferno por propagar essa informação*. – "Além disso..." – Elizabeth tirou os olhos de sua leitura e congelou. Deu de cara com a odiosa diretora que controlava o destino e o futuro de muitas mulheres e meninas, incluindo Elizabeth. Engolindo em seco, lançou um olhar breve para a figura menos relevante e menos ameaçadora ao lado da megera.

O livro escapou dos dedos de Elizabeth, aterrissando de lombada com um baque indignado. Ela tentou engolir, tentou respirar, mas foi incapaz de um ou de ambos. Pois estava errada. Pela primeira vez, a diretora não era a figura mais perigosa do recinto.

Um par de brilhantes olhos azuis mais do que ligeiramente zombeteiros encontrou os dela. Sempre foram brilhantes. Quando ele era um garoto de 12 anos, empenhado em atormentar a vida dos pais com suas travessuras, e quando já era o homem que atirou pedras na janela dela para incentivá-la a estudar as estrelas.

Nove anos depois e vários quilos a mais, o cavalheiro à sua frente era maior, mais musculoso, mais poderoso... mais tudo o que ele era da última vez em que o viu.

Ele deu uma piscadela para ela. Elizabeth cambaleou para trás.

Mas o movimento foi tão súbito e sua cabeça foi para trás com tanta força que seus óculos caíram do nariz. A armação de aros caiu sobre o detestável livro aos seus pés e depois tilintou ruidosamente pelo piso de madeira.

– Senhoritas, por favor, levantem-se para receber nossa distinta visita! – ordenou a Sra. Belden, batendo a bengala daquela maneira decisiva que marcava suas palavras, as quais não deviam ser questionadas. Todas as jovens se colocaram de pé.

Como se alguém *ousasse* desafiar a dragão.

Exceto agora... agora... O coração de Elizabeth batia violentamente enquanto ela cogitava sair pela janela no canto oposto da sala. Apertou os olhos, os rostos diante de si estavam embaçados e o cômodo era um caleidoscópio de imagens difusas enquanto tentava achar seus óculos. Não era possível, só podia ter imaginado. É claro que não pensava nele desde que a última seção de escândalos do jornal havia sido repassada entre as outras dragões na desesperada necessidade de ler algo além dos livros tediosos sobre boas maneiras.

Ajoelhou-se, tateando, porque obviamente não tinha visto direito. Decerto o tinha imaginado. Tinha certeza...

Oh, inferno! Precisava encontrar seus malditos óculos.

As tábuas do assoalho rangeram sob o peso de passos que se aproximavam. Não os passos afetados e calculados da Sra. Belden, mas sim, passos intrépidos, firmes, determinados e um tanto quanto masculinos.

Apoiada nas mãos e nos joelhos, Elizabeth congelou em meio à sua busca. Um par de botas pretas entrou no ângulo de sua visão embaçada e deficiente.

Sentiu o estômago revirar.

Fechando os olhos com força, procurou ficar o mais imóvel possível. Querendo que ele sumisse. Que a sala inteira desaparecesse. Que o chão se abrisse e a engolisse, poupando-a dessa interação há muito esperada, mas que ela tinha se convencido de que jamais aconteceria.

– Creio que esteja procurando por isso?

Aquela voz era inconfundível, um murmúrio levemente rouco e melodioso. Familiar e, no entanto, desconhecida pelo tempo decorrido desde a última vez que a ouvira. O cavalheiro lhe devolveu os óculos.

Crispin Ferguson, Duque de Huntington, sorriu para ela.

– Olá, *duquesa*. – Um brilho gélido nublou os olhos outrora calorosos. – Eis que nos encontramos novamente.

Capítulo 2

O último lugar em que Crispin Ferguson, que recentemente tinha se tornado o nono Duque de Huntington, teria procurado Elizabeth Brightly ao longo dos anos seria em uma escola antiquada e puritana.

O que sem dúvida era a razão por que a jovem – sua "esposa" havia nove anos – permanecera escondida.

É claro que seu desaparecimento e sua absoluta capacidade de permanecer oculta não surpreenderam Crispin nem um pouco. Afinal, se tratava da mesma garota com quem brincava de esconde-esconde nos cantos mais distantes de Oxfordshire. Se Elizabeth não quisesse ser encontrada, ela o deixaria procurá-la desde o momento em que os galos cantam até a hora em que a lua reivindica seu lugar no céu.

– Suas graças, o Duque e a Duquesa de Huntington – anunciou a Sra. Belden no mesmo tom gentil e bajulador que o perseguiu a vida toda, quando era herdeiro do ducado e agora que era duque.

Como patinhos obedientes, as sete jovens presentes se curvaram em reverências respeitosas.

Uma Elizabeth novamente em posse de seus óculos olhou à sua volta, perplexidade brotando por trás das lentes. Será que tentaria escapar? Ou aguardaria a confirmação da pessoa à qual todo o grupo se dirigia?

Tendo crescido ao lado dela e lido suas reações como as páginas de um diário escrito em suas próprias mãos, Crispin arriscaria a primeira opção. Mas agora que o tempo os havia transformado em estranhos, ela tinha se tornado inescrutável de um modo que nunca havia sido.

– E todo esse tempo, vocês, jovens afortunadas, foram educadas por uma duquesa.

A voz da diretora tremia de orgulho e honra.

Isso pareceu tirar Elizabeth de seu choque. Ela ergueu a mão. Passou rápido por Crispin farfalhando as saias e postou-se diante da Sra. Belden.

– Não, isso não é necessário – ela falou para toda a sala, visivelmente deixando Crispin fora de seu anúncio. – A senhora não precisa... se dirigir a mim dessa maneira.

A absoluta indiferença dela deveria tê-lo ofendido. E, no entanto, depois de uma vida inteira cercado de mulheres bajuladoras competindo por sua atenção e afeto, Crispin ficou intrigado com essa versão mais composta da garota que ele chamava de amiga. Sorrindo, pousou o quadril no braço do sofá desocupado mais próximo e assistiu ao notório espetáculo.

– Mas... mas... quer dizer que você não é uma duquesa? – a diretora disse com evidente decepção.

Sete olhares curiosos chicotearam para a dama em questão.

Cruzando os braços diante do peito, Crispin juntou-se a elas, encarando Elizabeth com expectativa.

– Eu... eu...

Ela nunca se enrolava com as palavras. Sempre esteve no controle, ao passo que ele era impetuoso e imprudente em todos os aspectos.

Pela primeira vez, desde que apareceu na sala e interrompeu a lição, Elizabeth olhou para ele. O rubor manchava suas bochechas, espalhando-se até as raízes de seus cabelos.

– É... *complicado* – ela finalmente decidiu.

Palavras mais verdadeiras não poderiam ter sido ditas.

Não obstante, a diretora que o havia cumprimentado com a fanfarra geralmente reservada a um rei, sorriu, pois as palavras de Elizabeth pareciam ser toda a confirmação de que ela precisava. Bateu a cabeça da bengala na palma de sua mão.

– Senhoritas!

– Não! – Elizabeth chiou, disparando entre as meninas que começavam a sair da sala. – Vocês não precisam se retirar. Sua Graça já está de saída.

– Não, não estou – Crispin falou, jogando por terra a jovial afirmação de Elizabeth.

Ela disparou um olhar fulminante a ele, do tipo que sua própria mãe, a assustadora duquesa viúva, jamais havia conseguido. No entanto, quando um duque falava, o mundo obedecia, assim como as damas que se retiravam sem demora.

E, no momento seguinte, Crispin se viu sozinho com Elizabeth.

– Olá, duquesa.

– *Pare* de me chamar assim, Vossa Graça – ela sussurrou, se virando para a porta aberta.

Sim, sem dúvida, a diretora estava ouvindo do lado de fora. Elizabeth colocou a cabeça para fora.

– Minhas desculpas – a diretora guinchou, batendo em retirada.

Quando seus passos ficaram distantes, Elizabeth fechou a porta e se virou para encará-lo.

– Você precisa ir embora. Agora. – Ela continuou falando apressadamente, sem permitir que ele dissesse nada. – Aliás, não deveria nem ter vindo. *Por que* está aqui?

E isso os trouxe à razão de Crispin estar ali. Ele endireitou a postura de seu repouso negligente.

– Sabia que você é a única mulher em toda a Inglaterra que rejeita a vida de uma duquesa para viver uma vida de labuta?

Vários sulcos vincaram o espaço entre as sobrancelhas dela.

– Eu não vivo uma vida de labuta – declarou, num tom ligeiramente defensivo que, corroborado por seus olhos e pela miserável saia cinzenta, fazia dela uma mentirosa.

– É mesmo? – ele disse com a voz arrastada, se aproximando devagar. – Nove anos podem ter se passado desde a última vez que nos vimos, mas já éramos amigos há muito mais tempo que isso. – Parou quando estavam separados apenas pelo espaço de uma mão. – Esta é a sua revelação, amor. – Então colocou a ponta do dedo indicador entre as sobrancelhas dela para desfazer o cenho franzido.

Boquiaberta, Elizabeth tropeçou ao tentar se desvencilhar de seu toque. O que também foi uma novidade para um duque que sempre teve todas as mulheres, de criadas a donzelas e matronas, lançando-se em seu caminho.

– O que você quer? – ela exigiu, furiosa.

Elizabeth Terry... não, Elizabeth Brightly não tinha mudado nada. Ainda era a mesma diabrete pequenina e magra, com cabelos escandalosamente encaracolados e bochechas claras como creme. Não, não era totalmente verdade. Seus olhos haviam mudado. A doce inocência que exibiam aos 17 anos tinha sido substituída pela desconfiança.

Seria um efeito da progressão natural da vida? Ou do *casamento* fracassado de ambos?

Pela primeira vez desde que havia entrado naquele estabelecimento e descoberto que a mulher que tinha passado anos procurando estivera ali o tempo todo, Crispin sentiu uma pontada de arrependimento no peito.

Por tudo o que poderia ter sido e não foi. Pela amizade perdida. Pelo casamento que poderiam ter tido.

Perturbado com tais reflexões piegas, Crispin cruzou as mãos atrás de si.

– Meu pai morreu.

– Sinto muito – ela disse com suavidade. – Sempre nutri uma grande estima por Sua Graça.

Sim, todo mundo adorava seu pai. O que a duquesa viúva tinha de cruel e implacável, seu falecido marido tinha de alegre e caloroso.

– Ele também sempre gostou muito de você, Elizabeth – Crispin respondeu baixinho.

Vislumbrou algo em seu semblante, mas ela desviou o olhar, e ele só pôde ficar se perguntando o que teria sido aquele fugaz *flash* de emoção.

A família de Elizabeth morava em um terreno nas propriedades dos Ferguson em Oxfordshire. Apesar da diferença social entre o pai dela, um comerciante em dificuldades, e o de Crispin, um duque, os homens se tornaram bons amigos e seus filhos – Elizabeth e Crispin – melhores amigos. Até o dia em que os pais dela adoeceram, com poucas semanas de diferença entre um e outro e, num breve intervalo, ela ficou órfã. Quando Crispin propôs casamento a uma amiga para lhe proporcionar segurança, seu pai provou que um duque sempre seria um duque quando se tratava de assuntos como casamento.

– Eu não vim falar do passado – Crispin disse finalmente.

O erudito em si, que passou anos como assistente dando palestras em Oxford, sabia que a lógica e a razão diziam que nada de bom poderia advir de tais conversas. Elas não apagariam nada do que tinha se passado entre eles.

– Em relação ao passado, Crispin... – ela começou, em tom magnânimo, usando seu nome de batismo quando ninguém mais usava a não ser... a não ser Elizabeth. Para o mundo, inclusive sua mãe, ele sempre se resumira a um título. – Não é possível se divorciar do passado quando este é responsável pelo presente e pelo futuro. – Ela foi até a porta.

Por que... por que... ela estava o dispensando? Tão facilmente?

– Você é minha esposa – ele apelou, o que a deteve e a fez se virar. Droga, como odiava ter de cobrar favores, a amiga traidora que aceitou sua oferta de casamento e depois o abandonou. Curvou os lábios em um sorriso levemente malicioso e indiferente. – E, veja bem, estou necessitado... – Um belo rubor cor-de-rosa se alastrou pelo rosto dela. – De uma esposa – ele completou.

Elizabeth tentou sufocar um gemido. Apesar da gravidade da atmosfera, o sorriso de Crispin se alargou.

– Não por... essas razões. – Embora, em algum momento, haveria a necessidade de um herdeiro. – Não é por isso que estou aqui.

Tal garantia não bastou para aliviar a tensão de sua pequenina figura. Em vez disso, ela estreitou o olhar, avaliando-o como avaliaria um salteador londrino que chegou perto demais.

– Tire esse sorriso falso de cafajeste da sua cara, Crispin Ferguson.

O sorriso que ela tomou como falso, no entanto, era a primeira expressão real de alegria que seus lábios emitiam em... mais tempo do que ele podia se lembrar. E essa pessoa que já o conhecera melhor do que ninguém nem sequer havia percebido. Ela não sabia a diferença.

Aquilo, o encontro deles, estava saindo de controle, do controle que ele tinha sobre suas emoções. Na tentativa de restaurar uma aparência de calma, Crispin pegou um par de poltronas de mogno e as posicionou frente a frente.

– Melhor nos sentarmos, Vossa Graça.

Elizabeth permaneceu plantada onde estava, perto da porta. Ele contraiu a mandíbula. Por Deus, ela continuava teimosa como sempre. Crispin se acomodou na pequena cadeira de veludo mostarda, cruzou a perna e a madeira delicada gemeu sob aquele movimento.

– Não tenho intenção de ir embora, duquesa.

– Já pedi para não me chamar assim, Vossa Graça – ela disse, erguendo o queixo.

– Mas é isso que você é agora. – Ele deu outro sorriso destinado a irritar, a enfurecer, a sacudir um pouco daquela sua maldita compostura. – Quais foram os nossos votos? Humm? – Ele arqueou a sobrancelha. – *Até que a morte nos separe*?

– Engraçado você se lembrar dessa parte – ela observou forçando um tom divertido, embora completamente inalterada. – Havia toda a parte de "amá-la e respeitá-la, na alegria e na tristeza, na saúde e na doença, na riqueza e na pobreza". – Elizabeth o encarou incisiva. – *"Por todos os dias de nossa vida."*

Crispin se recostou na poltrona, saboreando seu primeiro triunfo desde que havia se deparado com ela na sala de aula. Apesar da aparente indiferença, ela tinha dado o braço a torcer pela segunda vez.

– Você acompanhou as fofocas a meu respeito – ele observou com voz rouca. Boatos que não o deixavam em paz, especulando quem era a viúva ou a atriz a quem ele estava ligado no momento.

Seus lábios se contraíram numa linha tensa e rígida que estampavam o capricho na cara da insolente.

– Improvável – ela disse rápido demais.

Ela nunca soube mentir. Habilidade que não havia desenvolvido até hoje.

– Seria relapso de minha parte não pontuar, duquesa – ela estremeceu –, que foi você quem me deixou.

A lembrança daquela noite veio à tona. Tinha sido informado de que Elizabeth estava se sentindo mal, mas, quando visitou o quarto de hóspedes, que informaram ser os aposentos de sua noiva, ele estava vazio. Elizabeth se fora. Tudo o que restara foram três fios encaracolados de seus cabelos ruivos sobre a ofuscante colcha branca.

– É por isso que está aqui, Vossa Graça? Porque feri seu orgulho?!

Caramba, a abusada era capaz de fazer um santo perder a paciência. À medida que se tornava cada vez mais claro que a dama não tinha a menor intenção de se sentar à sua frente, Crispin se levantou.

– Vou esclarecer por que estou aqui. Desde a morte de meu pai e minha ascensão ao ducado, houve... – ele procurou as palavras.

Elizabeth cruzou os braços. Estaria aborrecida com sua presença? Com seu falatório? Com toda a situação?

– Bem, tenho recebido a atenção de muitas mulheres.

– Puxa, que pesadelo para você – ela declarou, inexpressiva. E seus óculos escorregaram pela ponte do nariz.

Crispin ficou imóvel. Era a mesma armação de aros que ela usava quando se viram quase dez anos antes. O fato de Elizabeth ainda usar o mesmo par era um detalhe sem importância. Ou deveria ter sido.

Ele fechou a cara. Porque não era. Era um relato material da situação de Elizabeth nos últimos anos. Notando o escrutínio, ela recolocou os óculos de volta no lugar e empinou o nariz desafiadoramente.

Pela primeira vez, Crispin reparou nos detalhes que haviam escapado até então: a hedionda saia cinza que pendia, disforme, de seu corpo delicado. O coque baixo, severo, que nunca poderia domar os cachos vermelhos frisados. Ela *deveria* estar vestida com trajes adequados para alguém que era quase da realeza, como ela era de fato. A ideia de que havia passado todos esses anos sem nada disso, optando por uma vida de trabalho em vez de uma vida ao lado dele lhe causou uma sensação estranha no peito.

Afinal, eles eram amigos, e se essa era a vida que tinha escolhido... Elizabeth sempre fora mais orgulhosa do que a maioria, mais até do que ele. Mais do que qualquer pessoa que ele conheceu em seus 30 anos. Ele limpou a garganta:

– Como eu estava dizendo...

– Seu problema matrimonial.

– Eu só tive um problema matrimonial – ele murmurou. E tinha sido aquela desaforada diante de si.

– Ah... – Um brilho de entendimento iluminou a feição de Elizabeth. – Entendi.

– Entendeu? – Crispin franziu a testa. Mas é claro. Desde que a conheceu, ela esteve sempre com a cabeça enfiada em algum livro. Sempre foi esperta o suficiente para ver tudo.

O primeiro vestígio de ansiedade que ele capturou em seu expressivo olhar verde-musgo se acentuou. Ela navegou em um zumbido de saias altas e farfalhantes.

– Você veio exigir a anulação! – Um sorriso, que tomou conta de seus lábios, se espalhando pelas bochechas e acendendo seus olhos, a transformou da garota comum de seu passado em alguém... um tanto... quanto... fascinante. Tornou-se presa de seu olhar, hipnotizado pelo brilho daquele abismo verde. – Você tem os papéis para eu assinar?

– O quê?

A realidade o fez voltar a si. Procurou reorganizar as ideias, atrás de qualquer palavra que tivesse sido dita antes de ceder ao encantamento de seus olhos perspicazes.

– Os papéis. – Ela ainda sorria, e ele lamentou pela fugaz empolgação. Para a anulação? – A esperança contida nessas três palavras machucou um orgulho que ele nem sabia que tinha.

– Acha que eu quero a anulação?

– Você não quer? – ela respondeu com outra pergunta.

– Não, eu não quero.

Elizabeth pareceu tão desapontada que, se Crispin não estivesse tão ofendido, teria desatado a rir.

– Mas você poderia se casar com quem bem entendesse – ela persistiu.

– Entendo as implicações de uma anulação concedida pela igreja – Crispin disse com falsa zombaria e, então, a mediu de cima a baixo, de maneira afetada. – Você vai dar para o gasto.

Mais uma vez, o rubor tingiu as maçãs de seu rosto. Ela abriu a boca, mas antes que encontrasse as palavras certas para provocá-lo, Crispin assumiu a dianteira expondo a razão de estar ali.

– Preciso que você volte a Londres... como minha esposa.

Capítulo 3

Ele a encontrou.

Como, depois de todos esses anos?

Ou será que ele já sabia há muito, muito tempo e estava satisfeito em deixá-la morando ali?

Algo nessa possibilidade fez Elizabeth sentir um aperto no coração. Uma dor boba e sem sentido.

Como a criatura da razão e da lógica que era, reconhecia o que o poder garantia a Crispin. Na qualidade de herdeiro de um dos títulos mais antigos do reino, ele possuía os meios e os recursos para achá-la em qualquer recôndito da Inglaterra em que ela decidisse se esconder.

Mas agora, depois de todo esse tempo, ele realmente *quis* encontrá-la.

O casamento proposto por ele pareceu, na ocasião, a solução para todos os seus problemas. Mas foi uma loucura da juventude. Eles pensaram no imediatismo de suas circunstâncias e nos benefícios do instante... mas não haviam realmente considerado... o depois.

Até que fosse tarde demais.

Foi um erro me casar com ela. Sei disso.

Odiando a dor que essa lembrança ainda lhe causava depois de tantos anos, Elizabeth a afastou e adotou o mesmo verniz de indiferença que havia aprendido a dominar com maestria na escola da Sra. Belden.

Agora, Crispin exigia que ela voltasse para Londres com ele, por motivos que, segundo seu relato, nada tinham a ver com um... herdeiro. Por vontade própria, seu olhar foi atraído para a figura imponente. O ombro largo apoiado displicentemente contra a parede não diminuía em nada a aparência poderosa de sua figura. Quase quinze centímetros mais alto e com vários quilos de músculos a mais do que quando se encontraram pela última vez, ele guardava poucos traços do amigo magricela e franzino de sua juventude.

De onde estava postada na sala, Elizabeth ajeitou a coluna, uma fútil tentativa de ficar mais alta. Um feito impossível. Ainda mais impossível perto desse urso de homem. Crispin arqueou uma sobrancelha após dar uma piscadela com seu brilhante olho de safira.

– Nada a declarar? – Ele deu um meio sorriso perigosamente atraente que fez uma covinha na bochecha esquerda. – Isso não é típico de você, Elizabeth.

Não, não era. Ela já tinha sido tagarela e desmedida com suas palavras, principalmente em torno desse homem. A Escola de Boas Maneiras da Sra. Belden, no entanto, diluía o temperamento de uma mulher.

– Você não me conhece – disse ela calmamente, alisando a saia. O lembrete foi efetivo para anular o sorriso dele, restaurando um ducal verniz de frieza. *Não mais.* – E meu nome é Sra. Terry. – Ela se agarrou a essa importante reflexão tardia.

Crispin se desencostou daquela parede e avançou com passos dignos de rivalizar com a elegante pantera que fazia parte da coleção de animais de seu falecido pai. O deslizar primitivo de seus passos despertou uma borboleta solitária que tremulou em sua barriga e espiralou por todo o seu ser.

– Eu nunca diria que você desapareceria e, dentre todos, escolheria adotar esse nome.

Lutando para manter o controle, Elizabeth deslizou para trás do sofá cor de marfim, estabelecendo-o como uma barreira fraca, porém necessária, entre eles.

– Não há nada errado com o nome Terry – ela argumentou, tensa, odiando o modo como Crispin ainda abalava seu equilíbrio. Por isso era mais fácil discutir com ele por causa de um nome do que por suas intenções em relação a ela. Como ele ousava subverter sua existência frágil, mas estável, e permanecer tão irritantemente calmo?

Crispin parou no extremo oposto do sofá e apoiou as mãos na guarnição de mogno trabalhado.

– Não – ele admitiu. – O nome de solteira de sua mãe era Terry. Você sempre foi Brightly.

É um nome esplêndido para uma garota com o seu espírito, Elizabeth. Outro sussurro da lembrança de um amigo que um dia achou uma estranha e desajeitada garota do campo tão especial quanto ela o achava.

Eles, no entanto, destruíram juntos aquele vínculo especial. Ela era tão culpada quanto Crispin.

– O que você quer, Vossa Graça? – indagou com calma, invocando o distinto título como um lembrete da barreira que existia entre ambos. Exceto que foi um aviso dado tarde demais. Eles haviam seguido por um caminho que não podia ser simplesmente desfeito...

– Tsc, tsc... – ele se endireitou. – Como marido e mulher, nunca imaginei que seríamos um casal que se dirige um ao outro usando títulos e sobrenomes.

– Não somos marido e mulher. – Elizabeth balançou a cabeça e levantou um dedo. – Não de verdade. – Para Crispin, ela sempre tinha sido Elizabeth, sua boa companheira. *Eu que sempre ansiei por algo a mais...* – Um casamento é consumado por meio da relação sexual. – Ele engasgou de espanto e sua inquietação ajudou Elizabeth a reencontrar o próprio equilíbrio. – E considerando que jamais houve penetração de seu pêni...

Vermelho até as orelhas, Crispin estendeu o braço abruptamente e cobriu a boca de Elizabeth com a mão, abafando o restante daquela palavra. Olhou para a porta e depois se voltou para Elizabeth.

– Isso já é suficiente.

– O quê?

Então quer dizer que ele realmente havia se tornado um duque em todos os sentidos. Era uma imagem que não se encaixava com o cafajeste descrito nas colunas de fofocas que chegavam a Surrey. Mas, pensando bem, essa transformação também era inevitável. Duques podiam até ser libidinosos com suas amantes, mas exibiam uma fachada conservadora para o restante do mundo. Ela e Crispin zombaram disso há muito tempo e, em meio às gargalhadas, Crispin jurou que jamais seguiria o caminho da pomposidade. Por razões que não conseguia entender, Elizabeth lamentou essa mudança. – Trata-se de um consenso que remonta a Boccaccio. Um casamento não consumado não é casamento. É uma verdade universal em *todas* as culturas.

– Pode ter *sido* na Grécia antiga – ele bufou –, mas dificilmente se aplica à Inglaterra moderna.

Maldito seja por continuar tão inteligente quanto era anos antes. Não se esperava que poderosos soubessem dos meandros obscuros dos sacramentos matrimoniais.

– A Inglaterra moderna – ela corrigiu, se recusando a recuar – ainda afirma que o coito determina a validade de uma união. E permanece como verdade incontestável – ela meneou a cabeça procurando demonstrar indiferença – que não trocamos nem um beijo sequer!

Não porque eu não quisesse. Queria que ele tivesse me possuído de todas as maneiras que um homem pode possuir uma mulher. Mas seus tolos devaneios eram fantasias sem esperança de uma garota que teve o infortúnio de se apaixonar pela última pessoa que deveria.

– Isso não é verdade, meu amor.

Ele tocou bem de leve na ponta do nariz dela com o indicador, como teria feito um irmão mais novo. Isso apenas exacerbou sua frustração.

– Eu dificilmente consideraria um beijo entre duas crianças algo significativo. – O desajeitado beijo em questão aconteceu quando ela era uma garota em busca de conhecimento sobre o "beijo humano", e ele um estudioso de 16 anos com a mesma inquietação.

– E mesmo assim... – Ele contornou o sofá com passos elegantes. – Você se lembra dele mesmo depois todos esses anos.

Crispin estreitou o olhar, os cílios longos, grossos e pretos que ela tanto cobiçara quando era uma garota apaixonada. Só que antes nunca houvera nada de primitivo no modo como ele olhava para ela.

Falei demais.

– M-mas não por qualquer motivo relevante – ela rebateu com a voz esganiçada, amaldiçoando sua língua solta e se forçando a permanecer onde estava quando Crispin parou diante dela.

Mal havia o espaço de um aperto de mão entre eles, mas a verdadeira divisão entre os dois era muito maior do que qualquer distância física. Ele sussurrou em seu ouvido:

– Cuidado, Elizabeth.

Seu cheiro, notas amadeiradas de carvalho seco e terroso, era inebriante e tão diferente da fragrância cítrica de limão e bergamota que já tinha sido a preferida dele. O perfume só destacou o quanto eram estranhos um ao outro agora... em todos os sentidos.

Seu corpo, no entanto, não pensava do mesmo modo e Elizabeth sentiu um frio na barriga.

– C-cuidado?

– Com toda essa conversa sobre beijos e leito conjugal, vou começar a pensar que você está ansiosa para que eu finalmente consume nossos votos – ele murmurou, sua respiração fazendo cócegas na pele sensível de sua orelha direita e lhe tirando o fôlego.

Com a mesma segurança com que ministrava as lições naquela escola de boas maneiras, Elizabeth sabia que um beijo do homem diante de si não teria nenhum indício do beijinho desajeitado e molhado que trocaram na juventude. Crispin, o Duque de Huntington, era um homem que usava aqueles lábios com maestria quando a sedução era a matéria a ser estudada.

Outro sorriso brincou naqueles lábios, um sorriso malicioso que a fez recuperar a noção de si em meio ao turbilhão pelo qual foi envolvida. Quase sem ar, ela se afastou abruptamente.

– Mas é claro que eu não quero f-fornicar com você!

Odiava como o ligeiro tremor daquela palavra específica denunciava a mentirosa que era, porque se havia algo que gostaria de saber, mesmo passados tantos anos, é como seria conhecer o abraço de Crispin Ferguson, e não apenas como dúvida científica, mas como um anseio compartilhado entre um homem e uma mulher.

– Fornicar, Elizabeth? – ele pronunciou a palavra lentamente, aquela maldita covinha em sua bochecha indicando o quanto ele estava se divertindo com toda a situação. – Não me diga que sua visão antiquada sobre fazer amor é produto da ilustre Sra. Belden.

Fazer amor... Ela sentiu a boca seca, a língua pesada.

Elizabeth e Crispin costumavam conversar sobre tudo e todos, mas nunca sobre *isso*, jamais sobre assuntos que conjurassem atos proibidos e encontros apaixonados. O sorriso dele ficava cada vez mais devasso.

Elizabeth apertou a mandíbula. Ele era mesmo o libertino que a Sociedade havia pintado nas colunas de fofocas.

– Não seja tolo. A Sra. Belden não permite discursos sobre... – Ela reparou no brilho em seu olhar. – Você está me provocando!

– Deveras! – ele admitiu, com uma presunção de dar nos nervos. Tamanha petulância extinguiu qualquer loucura que tivesse se apoderado dela por um instante.

– Diga de uma vez por todas o que veio fazer aqui – ela exigiu, cansada dos joguinhos e das artimanhas sedutoras que não levavam a lugar nenhum. – Tenho alunas para instruir.

Estudantes irritadiças, debochadas e infelizes que a desprezavam pelo que ela era: uma dragão designada para mudar quem elas eram. Ao contrário dele, um erudito e ex-membro do corpo docente de Oxford, que lecionava importantes questões científicas a garotos.

– Creio que sua distinta diretora nos perdoará por roubar alguns minutos de suas alunas – Crispin ressaltou.

Sim, a impiedosa proprietária daquele lugar não tinha apreço por nada nem por ninguém, exceto pela aprovação da aristocracia. Ela ordenaria que o prédio fosse virado de cabeça para baixo, se isso transformasse a carranca de um duque em um sorriso.

– Pouco me importa se ela perdoará ou não. Eu me preocupo é com as jovens que estão perdendo as aulas.

As meninas decerto estavam bem melhores fazendo... qualquer coisa, menos assistindo à aula que assistiam antes. Sentiu uma pontada de culpa.

– Muito bem – Crispin aprumou a postura, seus músculos marcando o tecido do casaco de montaria. – Quero que você volte para Londres... como minha esposa. – Ele deu um sorriso frio: – Afinal, é isso o que você é.

Elizabeth abriu a boca e a fechou várias vezes. Mas nenhuma palavra saiu. *Anulação. Divórcio. Ultraje.* Todas eram respostas ou acusações que ela esperava dos lábios de Crispin, mas definitivamente não... *retornar a Londres como minha esposa. Impossível.* Seu coração ficou sobressaltado e ela se odiou por essa reação. Afinal, a regra da razão dizia que, se algo não fazia sentido, havia uma razão para isso. Ele não queria se casar com ela. Nunca quis de verdade. Elizabeth o encarou desconfiada.

– Por que você quer que eu volte com você?

– É essencial que a Alta Sociedade veja que sou casado, que você realmente existe, e depois? – Ele esquadrinhou a sala com o olhar. – Depois você pode voltar à sua vida de sempre.

Como ele era superficial. Um duque julgando aquele lugar e a vida que ela havia construído para si. Nesse caso, não conseguia descobrir o que a machucava mais.

– Entendo... – ela disse enfim, incapaz de conter a amargura.

Crispin não queria se casar com ela. Nunca quis de verdade.

Ele era seu amigo, Elizabeth, e você o traiu. Você colocou suas próprias necessidades e vontades acima dele...

Sim, o casamento dos dois fora baseado apenas em caridade e *amizade*.

– Podemos conversar? – Crispin apontou para o sofá marfim, como se fosse o próprio dono dele. – Por favor?

Por favor.

Era por isso que, na infância e na adolescência, ele sempre tinha sido seu amigo. Crispin não era um daqueles garotos insuportáveis que se deleitavam com o poder que lhes era concedido como herdeiro de um ducado. Não foi criado para acreditar que o mundo devia se curvar às suas vontades e desejos. E, mesmo depois de todos esses anos, agora como um duque que poderia pedir tudo o que houvesse sob o sol para satisfazer seus prazeres, ele não tinha mudado. E teria sido tão mais fácil se tivesse. Cerrando os punhos, Elizabeth deslizou para a beira do assento.

Crispin puxou a velha poltrona estilo Rei Louis e, agarrando-a pelos lados, posicionou-a para que ficassem frente a frente; sua poderosa figura fazia o assento parecer bem menor.

– Como eu estava dizendo, desde a morte do meu pai, eu me vejo... – ele fez uma careta.

– Sendo cortejado por mulheres em todos os cantos? – ela completou.

Quando jovem, ele já despertava suspiros em todas as garotas da vila. No entanto, sempre preferiu a companhia dela. Mesmo agora, isso fazia seu coração transbordar de uma boba alegria. A Esquisitona de Oxfordshire, era assim que o povo do vilarejo a chamava. Até que seu relacionamento com Crispin calou a boca de todos.

– Praticamente em toda parte – ele murmurou, um tanto modesto, remexendo no imaculado peitilho branco e engomado de sua camisa. – E nunca pelas razões que realmente importam...

Se aqui ele agisse como o lorde presunçoso e arrogante, a apenas um degrau da realeza, seria muito mais fácil ressentir-se com ele. Mas como será que era viver em sua pele, um espécime de perfeição masculina digno de rivalizar com uma estátua de Da Vinci e em posse de um dos títulos mais veneráveis?

Você é a única, Elizabeth, que não vê um futuro duque. Você é a única que me vê por quem eu sou.

Sem querer, seu olhar pousou no anel de safira no dedo mínimo esquerdo. O brasão de armas ali gravado assinalava sua influência e demarcava a linhagem que remontava a Guilherme, o Conquistador.

Apesar de suas raízes nobres, ele tinha desejado a amizade dela tanto quanto ela havia ansiado pela dele. Quando ninguém mais queria saber da menina esquisita, de óculos, que puxava assunto com os aldeões falando sobre a fase reprodutiva das éguas, ele apareceu interessado no mesmo tipo de conhecimento excêntrico.

Foi por isso que formaram o par perfeito... como amigos.

Até que não fossem mais. Eles foram longe demais e arruinaram algo que tinha sido bom demais, precioso demais para ser alterado.

Eu sei que foi um erro, mas está feito... e não pode ser desfeito.

Sentiu um nó doloroso na garganta.

– Elizabeth? – ele chamou baixinho, interrompendo suas reflexões infelizes.

– Me perdoe – ela pigarreou. – Continue.

– Recentemente, abri o jogo sobre meu estado civil.

– Não me diga que você publicou em uma página no *London Times*? – ela perguntou, colocando-se em pé mais uma vez. Afinal, a pessoa lógica e direta que ele já fora o teria feito da maneira mais direta possível.

Crispin ficou totalmente ruborizado. Apesar do choque de reencontrá-lo e da loucura daquele momento, Elizabeth não conseguiu conter a risada bufante que explodiu em seus lábios. Ela fez uma tentativa inútil de sufocá-la com as mãos.

– Você publicou!

– Não publiquei um anúncio no jornal – ele resmungou, ainda mais vermelho. – Em vez disso, eu entreguei com cautela as informações aos cuidados de Lady Jersey.

Uma das principais damas da sociedade, a velha matrona decerto já teria contado várias fofocas a qualquer um cujos ouvidos funcionassem.

A menção à reverenciada anfitriã também serviu de lembrete do abismo entre eles.

– Até mesmo a mãe mais desejosa de um duque para sua filha recuaria diante da bigamia – ela argumentou calmamente. – Portanto, acredito que minha assistência não é mesmo necessária. – Elizabeth fez menção de se retirar.

– Elizabeth... – Crispin apoiou a mão em seu joelho e ela sentiu sua respiração ficar presa nos pulmões. – Não é isso... – ele perdeu a fala.

Juntos, olharam para a mão dele pousada na perna dela. O choque do contato de seus dedos irradiava pelo tecido de lã áspero da saia de seu uniforme de dragão, a mão firme e quente de um jeito que seu corpo jamais havia sentido; o toque obteve a consequência pretendida de parar os movimentos de Elizabeth... mas não pelas razões que Crispin imaginava.

Uma onda de emoção, escura e indiscernível brilhou nos olhos azuis escuros do duque. Ele apertou reflexivamente o joelho dela, amassando o tecido e a queimando através das saias. Elizabeth engoliu em seco.

Não seja boba. É Crispin. Antigo amigo. Atual marido.

Só que o corpo humano não dava a mínima para a lógica. Era primitivo. Trata-se de um entendimento registrado desde o início dos tempos. Tal compreensão evidente não fez nada para amenizar o calor que se instalava em sua barriga.

– Não é? – provocou, com a voz rouca até para seus próprios ouvidos, sensual de uma maneira que sempre achou que uma rata de biblioteca como ela fosse incapaz.

Como se Elizabeth queimasse, Crispin retirou a mão imediatamente, mas a impressão daquela carícia acidental ainda persistia.

– Não é – ele resmungou. – Não é tão simples assim.

– E por que não? – Elizabeth ainda lutava contra o torpor que ele havia despertado.

Crispin colocou-se de pé em todo o vigor de sua altura e começou a andar para lá e para cá no antigo tapete clássico com estampas florais. Ela o observava atentamente. Andar em círculos sempre fora o gesto revelador de sua inquietação.

– Eu posso ter conquistado certa *reputação* – ele murmurou, evitando contato visual até estabelecer um ritmo de passadas que o permitisse sustentar o olhar de Elizabeth.

– Não diga? – Ela sabia muito bem o que já havia sido escrito sobre Crispin.

Embora o tivesse abandonado, ela vasculhava as colunas de escândalo, já antigas quando chegavam à escola da Sra. Belden, atrás das façanhas de Crispin. E cada notícia perfurava seu peito como uma flecha, porque ele tinha feito um voto para ela, e a amizade dos dois era do tipo em que promessas tinham significado. Elizabeth arregalou os olhos, fingindo inocência.

– Pois me conte, Vossa Graça, que tipo de reputação é essa?

Capítulo 4

Elizabeth Terry-Brightly, ou seja lá que sobrenome ela usava agora, não era em nada a garota de quem ele se lembrava... e, no entanto, ao mesmo tempo, era em tudo como ela.

Algo, todavia, era evidente – a bandida estava se divertindo um bocado às suas custas.

Ela poderia até ter se tornado mestra em dissimulação no tempo que havia passado, mas o regozijo que ela sentia com seu desconforto estava presente em cada alfinetada bem dada que, com inteligência, ela disfarçava de pergunta.

Crispin se forçou a parar, encarando-a mais uma vez.

Mais de trinta centímetros mais baixa que ele, que tinha pouco mais de um metro e noventa, e sentada como estava, ela ainda conseguia olhar para ele de cima, empinando o nariz que era um pouquinho longo demais. Ousada. Desafiadora. E, em certa medida, também provocativa. Sempre tinha sido assim.

– Ganhei a reputação de um canalha – ele confessou sem rodeios.

Outro cavalheiro provavelmente sentiria algum remorso ou arrependimento ao fazer tal confissão à esposa. Apesar de todas as fofocas, porém, Crispin não tinha motivos para sentir um pingo de culpa.

– Não diga!? – Elizabeth não demonstrou a menor alteração mediante sua admissão. Ele estreitou os olhos.

– Por que é que eu acho, Elizabeth, que você já sabia desse detalhe sobre mim?

Ela ficou com as bochechas lindamente ruborizadas.

– Como eu saberia de algo assim? – respondeu de novo com outra pergunta, a voz aguda traindo a mentira.

Porque... era verdade. A amiga de longa data e noiva por um dia, que sumiu na calada da noite, acompanhava tudo o que era publicado a respeito dele.

– O que foi? – Elizabeth o observou com olhos carregados de desconfiança.

Com um sorriso maroto, Crispin se acomodou novamente na poltrona. A traição de Elizabeth o havia deixado devastado, mas saber que ela acompanhava o que era publicado sobre suas ações significava que ainda se importava com ele.

– Ora, quer dizer que você me acompanhou pelos jornais, querida?

– Apenas para ter certeza de que você não estava nas proximidades da escola da Sra. Belden... – Ela se remexeu na cadeira.

A sensação de triunfo durou pouco. Elizabeth o tinha abandonado. Crispin havia oferecido a ela seu nome e sua segurança, e ela simplesmente fugira. Diante disso, não restavam dúvidas dos sentimentos que nutria por ele. Ou melhor, da falta deles.

– Compreendo – respondeu impassível. Havia compreendido há muito tempo e, mesmo assim, ao ouvi-la assumir tão casualmente que estava se escondendo dele, sentiu as emoções revolvendo em seu peito, um turbilhão de raiva, mágoa e choque que ele pensava ter dominado, mas que ainda estavam arraigadas dentro de si.

Elizabeth se aprumou, deixando a coluna bastante ereta, como se sustentada por uma haste de metal. A garota que ele conhecia teria disparado uma saraivada de perguntas. Sua nova versão, no entanto, mais controlada e sóbria, permaneceu estoicamente silenciosa.

Crispin continuou a exposição de seus motivos para procurá-la:

– A reputação que eu... ganhei... – tropeçou nesta palavra – pôs em dúvida a veracidade das minhas alegações de casamento.

Elizabeth franziu o cenho.

– Eles acham que você *mentiu* sobre ser casado?

– Exatamente – Crispin cruzou os tornozelos. – As jovens damas mais empenhadas em conseguir o título de Duquesa de Huntington suspeitam que eu, no afã de seguir com uma existência libertina, inventei uma esposa.

– Se ao menos você tivesse tido essa ideia há dez anos – ela disse em um tom irônico –, teria se livrado do fardo de ter uma esposa de verdade.

Crispin pestanejou, demorando alguns segundos para realmente entender o significado implícito de tais palavras. Então era isso que ela pensava? Que todo esse tempo ele tinha se arrependido do acordo que tinham feito? Um acordo que não só havia sido mutuamente benéfico, mas que, por causa da amizade que havia entre eles, tinha formado um vínculo muito mais profundo do que qualquer união de conveniência, fria e vazia?

A raiva enraizada em seu âmago incendiou o curto pavio de sua paciência.

– Não fui eu que fugi – retrucou lívido de raiva, ofegante com a força da fúria que queimava em seu peito, e se inclinou para frente na poltrona, diminuindo a distância entre eles. – Foi você! Portanto, não banque a coitadinha, *Vossa Graça*. – Ele virou a mesa, usando o título que compartilhavam contra ela. Ciente de que algum abelhudo poderia estar por perto, Crispin baixou a voz para um sussurro abafado: – Você me abandonou, Elizabeth. Você! Não eu. – E, com tal atitude, deu as costas a um vínculo que remontava aos mais tenros dias de sua juventude.

Crispin aguardou, se preparando para a resposta que receberia.

Elizabeth apertou as mãos no colo, um aperto mortal que drenou o sangue de seus dedos e, com uma calma afetada, replicou:

– Então, você precisa que eu atue como sua esposa.

– Sim, perante a Alta Sociedade.

O que você esperava? Um pedido de desculpas? Alguma demonstração de arrependimento ou vergonha?

E, de qualquer maneira, teria feito alguma diferença?

– Por quanto tempo você exigirá que eu sirva nessa função?

Era como discutir os termos contratuais de um empregado e não a posição de uma mulher que, possuidora de um dos mais respeitáveis títulos, podia comandar qualquer salão de baile ou função social em toda a Inglaterra.

Crispin cerrou os punhos com tanta força que sentiu o anel carcomendo a dobra de seu dedo:

– Como minha esposa – ele repetiu, precisando que ela ouvisse e reconhecesse essa verdade, pois não era uma criada doméstica ou uma governanta. Era a mulher cujo nome estava eternamente ligado ao seu –, eu devo apresentá-la ao mundo, como minha *esposa*.

– Por quanto tempo? – ela repetiu.

Em que momento o relacionamento dos dois tinha se tornado um anátema para ela? E por que ele ainda ficava tão incomodado, mesmo depois de tantos anos? Afinal, já não tinha aceitado a traição e construído uma existência da qual Elizabeth não fazia parte? Até o escárnio dela vir desconstruir todo esse pensamento.

Para se ocupar com algo, Crispin tirou as luvas e as bateu na palma da mão.

– Exigirei sua presença por alguns dias. Daremos um baile formal para os membros da sociedade. Nada mais. – Nunca houve nada mais. *Mas poderia ter havido.* Quase houve. E não pela primeira vez desde que Elizabeth havia fugido, Crispin imaginou como teriam sido esses anos se ela tivesse ficado. Lutando contra inúteis reflexões sentimentais, se concentrou na tarefa que tinha em mãos.

– Organizar um baile requer muito mais planejamento – ela disse pensativa, contando nos dedos. – Há que se pensar no cardápio e nos músicos. E, é claro, considerando sua posição, *sua*, não *nossa*, os convites devem ser manuscritos e entregues pessoalmente.

Ah, Elizabeth... Ela enumerou cada detalhe do mesmo jeito que uma vez lhe relatou suas descobertas sobre as borboletas que sobrevoavam os admiráveis jardins de sua mãe. Quando menina, e agora como mulher, Elizabeth valorizava o pensamento científico, no entanto não possuía a lógica necessária para o absurdo das funções sociais. Enquanto prosseguia com sua contabilidade, Crispin aproveitou para se recostar na poltrona e observá-la.

– Sem dúvida, você já terá velas, mas precisará daquelas que ardem por oito horas... Eu estimaria trezentas velas e elas custarão cerca de... – Ela fez um leve biquinho enquanto completava seus cálculos mentais. – Quinze libras.

Crispin tentou falar, mas não teve chance.

– E há os arranjos florais; precisamos de vasos plantados e flores naturais dos seus jardins.

Pousando as luvas, Crispin pegou o pequeno volume de couro que repousava sobre a mesa entre eles. Analisou brevemente as letras douradas gravadas na lombada e depois folheou o tomo, se atentando aos títulos das seções.

Comportamento...

Decoro...

Conduta...

Borboletas são polimórficas, sabia? Uma habilidade e tanto para despistar seus predadores. Use essa estratégia com sabedoria no próximo piquenique de sua mãe...

– Como o conteúdo de suas leituras e de seu conhecimento mudou Crispin murmurou.

Elizabeth evitou olhar para Crispin, fixando-se, em vez disso, no pedaço de *nonsense* literário que seria mais bem aproveitado como lenha para o fogo.

– Dada a motivação de sua visita repentina, me parece que há, e sempre houve, mais relevância para essas informações – ela apontou para o título que ele ainda segurava – do que para qualquer fato inútil sobre borboletas.

O golpe o acertou em cheio. Será que ela acreditava mesmo nisso? Ou será que isso era o que a jovem inteligente que lia revistas científicas e periódicos dizia a si mesma para aliviar a perda dos tópicos que tanto a fascinavam? Estava com a pergunta na ponta da língua, mas algo na tensão dos lábios de Elizabeth o fez desistir de qualquer questionamento.

Crispin os redirecionou a um território mais seguro:

– O baile já foi planejado, Elizabeth. – A mãe dele, uma das principais damas da sociedade, aproveitou a oportunidade para planejar tudo, até descobrir as razões do evento. – No momento em que obtive a confirmação de seu paradeiro, tomei a liberdade de organizar a cerimônia e despachar os convites.

– Então você já estava dando a minha presença como garantida? – ela quis saber, com os olhos pegando fogo.

Não. Crispin nunca sabia exatamente o que Elizabeth Brightly, tão imprevisível quanto uma folha de outono serpenteando no ar, diria... ou faria. Sua imprevisibilidade foi uma das características que mais o cativaram quando menino, ao se deparar com uma garota com a cabeça enterrada em um exemplar surrado de *The Aurelian*, o livro de Moses Harris sobre mariposas e borboletas que ele tanto cobiçava, e que ela tinha ganhado de presente do pai.

– Eu estava esperando – *estava* – que você se juntasse a mim.

– Sei – Elizabeth se levantou e caminhou até a grande janela, por cujo gradil os raios de sol se infiltravam, e ficou olhando para o quintal abaixo.

Como ela podia saber o que quer que fosse quando nem mesmo ele pôde evitar que seu mundo virasse de cabeça para baixo ao entrar naquele recinto um tanto antiquado e reencontrá-la? Uma amiga e uma estranha, ao mesmo tempo.

– Você achou que simplesmente poderia me pedir para voltar – ela olhou de relance para trás, a voz revelando amargura e arrependimento.

Não pela primeira vez, a raiva revirou o peito de Crispin por causa daquela mulher. Elizabeth pensava tão pouco dele, e ele sempre a colocara em um pedestal, acima de tudo e de todos. Ela era sua única amiga, a única pessoa que nunca deu a mínima para o fato de que um dia ele se tornaria duque. Talvez por isso sua traição tenha sido tão dolorosa. E por isso ainda doía.

– Não – ele admitiu em um tom sombrio enquanto se levantava. Não era porque tinha uma reputação de canalha que o perseguia há anos que ele se prestaria à arte da mentira e do engano. – Eu não vim lhe dar uma ordem. Eu vim pedir sua ajuda, Elizabeth.

Ela mordiscou o lábio inferior, chamando a atenção dele para os dentes quase imperceptivelmente tortos, para a boca carnuda.

Uma boca que se juntou à dele uma única vez quando eram meras crianças conduzindo um experimento sobre "o beijo". Foi uma união rápida, rápida demais para o gosto dele, mas que viria a ser destronada pela brevidade da união deles como noivos.

Agora Crispin olhava, enfeitiçado, com a garganta seca, imaginando os lábios dela nos seus, não como parte de um estudo científico qualquer entre crianças, mas como parte de um experimento focado em descobrir um ao outro, de todas as maneiras. Ela seria exploradora e despudorada. Como mulher, decerto o beijaria com o mesmo abandono com que o perseguia quando criança pelo interior de Oxfordshire.

Ainda amuada, Elizabeth se virou para ele e Crispin rapidamente apreendeu suas feições.

– Muito bem – Ela alisou distraidamente as saias.

Levou um momento para que essas palavras se registrassem.

– Perdão? – O que diabos eles estavam mesmo discutindo? Sua mente estava um completo rebuliço.

– Eu o acompanharei a Londres – Elizabeth fez uma pausa. – E, então, tenho a sua palavra de que estou livre para voltar?

– Aqui é onde você quer estar? – ele ponderou.

Teve a impressão de que houve um segundo de hesitação, mas a atribuiu ao seu orgulho masculino ferido.

– Sim – Elizabeth murmurou.

Crispin cruzou as mãos atrás de si. No papel de um duque dono de uma fortuna que rivalizava com a do Rei George IV, cinco casas de campo, duas propriedades litorâneas e joias que remontavam à primeira esposa de Henrique VIII para cobri-la dos pés à cabeça, era humilhante descobrir que a mulher com quem ele havia se casado preferia uma vida de serviçal em um estabelecimento que, segundo boatos, destruía a alma das meninas.

– Como queira. – Precisando se distanciar daquela que o traiu, Crispin rapidamente se levantou. – Me acompanhe de volta para um baile e então estará... livre. – Como sempre desejou. A dor corria em suas veias, afiada como uma faca. – Partiremos amanhã.

E, antes que ela pudesse mudar de ideia e trair mais uma promessa, Crispin foi embora.

Capítulo 5

Elizabeth e Crispin, sem querer, estavam fechando um ciclo na manhã seguinte.

Agora, fariam uma jornada diferente da que haviam feito na fuga para Wilton antes de retornarem à propriedade ancestral da família dele em Oxfordshire. Desta vez, estavam indo ao encontro não de seus pais nobres e poderosos... mas ao de toda a alta sociedade.

O estômago de Elizabeth revirava. Uma coisa era instruir as damas de Londres, mandá-las de volta para casa e nunca mais vê-las. Outra completamente diferente era juntar-se a elas.

– Chega – murmurou para si mesma. – Você não é menos do que qualquer uma delas.

Lembrar-se de seu próprio valor pouco adiantou para lhe acalmar o frio na barriga.

Um momento depois, a bela carruagem preta com assentos de veludo dourado pôs-se em movimento, afastando Elizabeth do lugar que havia sido seu lar nos últimos anos. E que seria seu lar nos anos vindouros.

Há muito tempo já tinha aceitado esse destino como fato consumado, embora a lógica lhe dissesse que este reencontro aconteceria mais cedo ou mais tarde, e que já havia passado da hora. Um casal não podia simplesmente se casar e depois... se desligar. Não sem consequências e não sem algum desfecho. Em especial quando o herdeiro de um ducado estava envolvido.

Só que ele não era mais um herdeiro. Crispin Ferguson era um duque de fato, nascido e criado para o papel. Ele exalava aquela confiança e aura de autoridade manifestada apenas por reis e aqueles que lhe são mais próximos em posição e privilégio.

E nem todos os duques eram franzinos e, no tempo que passaram separados, Crispin tinha... mudado. Seu físico magrelo ganhara músculos e ele irradiava uma energia primitiva com a qual ela não sabia lidar.

Abrindo as cortinas ricamente bordadas, contemplou o modesto solar campestre onde trabalhava como instrutora da escola de boas maneiras. Os jardins e a vegetação ao redor do casarão de pedra conferiam uma vívida pincelada de cor em meio a uma cena melancólica.

A escola isolada acabou sumindo de seu ângulo de visão, deixando apenas o rastro de colinas para trás. Não, essa não era a única visão que tinha pela janela.

Elizabeth apurou a vista, procurando um vislumbre melhor da figura que cavalgava adiante. Seu coração deu um pequeno salto.

Crispin montava, altivo e relaxado, com os ombros largos para trás, um cavaleiro magistral em pleno comando de sua montaria. O olhar fixo no horizonte, atento e à vontade na sela do cavalo castanho.

Isso, no entanto, sempre fora típico de Crispin.

De arco e flecha a esgrima, passando por várias outras modalidades atléticas, ele sempre se saía bem em tudo a que se dedicava. No entanto, quando os meninos da vila e os que vinham de visita às propriedades de sua família estavam engajados em atividades físicas, Crispin preferia ter um livro em mãos. Ele falava fluentemente latim e grego e debatia o complexo conceito de metafísica nessas respectivas línguas com a mesma facilidade com que dominava outras habilidades.

Enquanto Elizabeth sempre tinha sido um desastre em cavalgar ou nadar, ele se destacava em... *tudo*.

Traçando com o dedo um círculo em sentido anti-horário no vidro da janela aquecido pelo sol, foi espiralando a linha central. Seu olhar se fixou na mancha circular.

– Me dê sua mão, Elizabeth.

Ela hesitou antes de concordar. Sem dizer uma palavra, Crispin debruçou-se sobre a palma manchada de tinta e traçou um delicado círculo. Ela deu uma risadinha ao sentir o leve toque de seus dedos.

– I-isso faz cócegas... – Quando ele continuou dedicando-se à tarefa, ela se inclinou para frente. – O que está fazendo?

– É uma espiral antiga. É um símbolo da jornada sinuosa que devemos seguir se quisermos realmente conhecer e amar a nós mesmos. E nessa trajetória – ele completou o círculo – retornamos com mais sabedoria e poder.

Elizabeth deixou a mão cair abruptamente no colo. Além de seus pais, Crispin tinha sido a única pessoa que nunca a enxergara como uma esquisitona. Eles dois se envolviam em discussões que teriam escandalizado a alta sociedade pelo puro prazer do estímulo intelectual.

E, por causa disso, ela o havia erguido a um nível inatingível a qualquer outro reles mortal.

Foi por isso que fugiu. Foi por isso que se escondeu.

Não. Massageou as têmporas com a ponta dos dedos. Essa não foi a única razão. Havia tantas outras que, quando consideradas em conjunto, só restava a fuga como única opção viável.

Sendo assim, nunca tinha pensado que estava se escondendo dele. *Esconder-se* sugeria que a outra pessoa queria te encontrar. E, em última instância, Crispin não queria ter se casado com ela. Só o fez por amizade...

Foi um erro me casar com ela. Eu sei que foi um erro, mas está feito... e não pode ser desfeito.

Elizabeth cerrou os punhos, amassando ruidosamente o tecido de sua saia cinzenta. Não entendia como um punhado de palavras podia doer tanto, mesmo vários anos depois. Em particular aquelas palavras que remoera tantas vezes em sua cabeça, na esperança de que a familiaridade as neutralizasse.

E também não se tratava apenas da dor causada pelo descontentamento de Crispin. Olhou de novo para ele.

Tinha fugido *por ele*. Foi embora para que ele não precisasse se lembrar todos os dias do erro que havia cometido e, portanto, ser poupado do arrependimento.

Afinal, um monte de lordes e ladies levava a vida longe de seus cônjuges, ligados apenas por uniões pragmáticas definidas pela linhagem e perpetuação de títulos antigos.

Mais cedo ou mais tarde, Crispin exigiria um herdeiro. Atenta aos detalhes como sempre, Elizabeth sabia muito bem disso. Mas não se permitiu avaliar qual momento seria mais adequado para se reunir com ele. E o tempo passou... até que dez anos os dividiram.

Ele, é claro, não deu qualquer indicação de que *queria* dividir a cama com ela.

Não é por isso que estou aqui.

Elizabeth se contraiu. Ora essa, embora tenha exibido o belo sorriso de covinhas, Crispin não riu quando ela sugeriu que ele poderia tê-la localizado com o objetivo de gerar um herdeiro.

Ao contrário, por um milésimo de segundo, na sala da Sra. Belden, enquanto olhava para sua boca, algo passou pelos olhos dele. Algo sombrio e perigoso, e inexplicavelmente sedutor – desejo. Por mais que fosse tolice pensar que ele a desejava, houve um lampejo de paixão.

– Sua tola patética! – Elizabeth exclamou com desgosto.

Crispin era um canalha. Era da própria natureza da reputação que tinha conquistado seduzir e levar para a cama beldades e viúvas travessas de toda Londres. Mas nunca, em nenhuma das colunas de escândalo, tinha lido sobre Crispin se envolvendo com alguma magricela, sem curvas e de óculos. Não, eram sempre mulheres exuberantes e sensuais que... não se pareciam em nada com Elizabeth.

E como odiava isso. Odiava-o por sua reputação e por todas aquelas mulheres que o conheciam de um modo que ela não conhecia.

Você me abandonou, Elizabeth. Você! Não eu.

Mordeu o lábio com força e o amaldiçoou em silêncio por estar certo.

Ela foi embora e o deixou para trás. Não era a primeira vez, desde que embarcara aquela manhã na carruagem do correio e partira rumo ao interior da Inglaterra para um futuro incerto, que Elizabeth pensava em como teria sido a vida se tivesse ficado. Será que ela e Crispin continuariam amigos e se debruçariam sobre periódicos e participariam de palestras em Londres, debatendo os mais diversos tópicos como sempre tinham feito?

Como o conteúdo de suas leituras e de seu conhecimento mudou.

Elizabeth enfim olhou para o diário de couro marrom envelhecido que jazia ao seu lado no banco, um título que teve pouco tempo para ler na escola da Sra. Belden, mas que resgatou assim que embalou seus poucos pertences para carregar na carruagem de Crispin.

Ele tinha razão. Ela se submetera a uma escola totalmente nova de aprendizados, tópicos e matérias que ambos tanto desprezavam quanto zombavam, mas que, vejam a ironia, tornara-se a base da existência de Elizabeth.

Hesitante, pegou o pequeno diário e começou a folheá-lo.

As marcações a lápis nas páginas, anotações feitas em sua caligrafia rápida e ansiosa, haviam desbotado com o tempo. Elizabeth passou a mão sobre o desenho de uma borboleta, borrando-o de leve. Quantas vezes tinha se sentado lado a lado com Crispin na encosta de uma colina, cada um traçando um esboço diferente, ambos em silêncio, pois palavras não eram necessárias, enquanto estudavam juntos?

Elizabeth debruçou-se sobre cada um dos desenhos, obras amadas que a mantiveram acordada enquanto se esforçava para completá-las com nada mais que a chama de uma vela solitária para iluminar seus esforços. Ela, como Crispin muito bem apontara, sentia falta desses estudos de um jeito que não se permitia nem considerar – até agora. Até reencontrá-lo.

Deteve-se um bom tempo em cada um dos desenhos em que eles trabalharam juntos. Talvez ainda compartilhassem do mesmo entusiasmo pelo aprendizado.

Ou será que acabariam se apartando de qualquer maneira, pelo peso do ressentimento e do arrependimento?

Sentiu um nó na garganta. Tinha sido covarde demais para ficar e descobrir o que aconteceria a um jovem casal nascido em posições sociais tão distintas e que se casara às pressas. Em especial quando uma das partes se arrependeu da famigerada jornada a Gretna Green. Elizabeth fechou o livro e olhou pela janela mais uma vez.

Adiante, Crispin olhou por cima do ombro. Seus olhares coincidiram por um instante. Com o coração martelando no peito, Elizabeth fechou a cortina, grata pela ilusória sensação de privacidade.

Eu consigo. É só um baile e um punhado de dias. E então poderia voltar para a Sra. Belden e, dali em diante, viver o resto de sua vida longe de Crispin.

Então por que, agora que o via depois de tantos anos, tal constatação lhe dava vontade de chorar?

Com um gemido, Elizabeth soltou a cabeça contra o painel da carruagem. Chega, murmurou a si mesma. Nunca fora dessas pessoas que lamentavam o que poderia ter sido. E não era agora que começaria a ser.

E muito menos pelo homem que ele se tornara: um devasso, um canalha, que escandalizava a sociedade por frequentar luxuriosos bailes de máscaras e pela coleção de amantes que havia reunido ao longo dos anos.

Forçando-se a deixar tais pensamentos de lado, Elizabeth pegou sua pesada valise no banco oposto e colocou-a sobre o colo, não sem soltar um grunhido. Lutando penosamente com a trava de latão enferrujada, abriu-a e revirou seu escasso conteúdo.

A *arte de dançar com decoro para debutantes*.

– Não – murmurou, ignorando o pequeno tomo de couro, procurando entre os outros uma opção melhor de leitura para ocupá-la durante o trajeto.

Reverenciando a Rainha... e outras expressões cerimoniais para saudar a nobreza e a aristocracia.

– Eca! – Fez uma careta, dando voz ao aborrecimento que há muito suprimia na escola da Sra. Belden diante de temas tão miseráveis e títulos tão ridículos. Seus dedos colidiram com A *perícia na dança inglesa*. Elizabeth pegou o exemplar, folheou por alto as páginas e depois o jogou no fundo da mala, onde caiu com um satisfatório baque surdo.

Pela primeira vez desde que Crispin tinha reaparecido e seu mundo saído dos eixos, Elizabeth se viu sorrindo. Fez uma pausa e inspirou profundamente, enchendo os pulmões de ar. Oh, ali estava ela viajando com ele, o canalha que aceitara como marido e que abandonara poucos dias após o casamento e que agora a introduziria na alta sociedade. Teria bastante tempo para ficar horrorizada e inquieta pelo restante do trajeto de carruagem – e então quando chegassem.

E, no entanto, havia algo... de revigorante em tudo isso.

Saindo da Sra. Belden...

Jogou outro livro de lado.

Podia falar consigo mesma se quisesse.

Elizabeth continuou procurando, remexendo na mala.

Não precisava se preocupar se estava quieta ou fazendo barulho demais.

Cantarolando uma canção de A *perícia na dança inglesa*, Elizabeth alcançou o fundo da bolsa e parou, intrigada.

Era isso.

Recomeçou a vasculhar. Tinha que haver... algo que ela gostaria de ler ali dentro. E mesmo assim... Elizabeth recostou-se no coxim aveludado do banco. Não havia. Tudo o que leu, estudou ou lecionou foram os fastidiosos tópicos que lhe eram exigidos. Eles se tornaram parte de sua existência, tão comum quanto trançar o cabelo ou levantar-se de manhã.

E você abominou cada momento...

Assim que o pensamento traidor surgiu, ela endireitou a postura.

– Não abominei – murmurou para si mesma. – Até gostei de *algumas* das lições.

Para provar a si mesma, pegou o último livro de sua coleção. *Regras de ouro do comportamento e do decoro* e não conseguiu conter o gemido. Abrindo o volume bastante manuseado na primeira página, começou a ler:

O decoro é essencial a todas as moças, independentemente do status, direito inato ou posição social.

Fez uma careta e virou a página com tanta força que rasgou o canto.

– Redundante – resmungou.

Uma lembrança lhe veio à mente, de seus primeiros dias na escola da Sra. Belden, com as referências falsas forjadas nos escritórios do falecido Duque de Huntington. De quando era uma jovem, sozinha, assustada e muito infeliz.

– Você tem algum problema com os textos selecionados, Sra. Terry? – a Sra. Belden bateu a bengala com força, e Elizabeth pulou.

– Não. Não. Nenhum, Sra. Belden. Os textos são...

– Perfeitos – sussurrou para a página diante de si a mesma mentira que havia dito à velha. Não havia nada de perfeito nem de bom em nenhum daqueles ensinamentos de merda. Eram simplesmente uma rotina com a qual ela foi obrigada a se acostumar e aceitar como a nova norma de sua vida.

Sentiu a garganta apertada. Como Crispin ousava ressurgir todos esses anos depois e lhe relembrar de uma vida diferente? Uma em que podia ler o que quer que desejasse e ainda era plenamente incentivada nessa empreitada.

Lágrimas embaçaram sua visão e Elizabeth piscou freneticamente para afastá-las.

– Poeira – disse suavemente, pestanejando. – É só poeira.

Com um belo chacoalhão de cabeça para desanuviar os pensamentos, Elizabeth aprumou a postura e, no balanço tranquilo e rítmico da carruagem de Crispin, pôs-se a ler:

– *É uma verdade universal e amplamente reconhecida por aqueles de nascimento venerável que normas dignas devem ser honradas e sustentadas por todos aqueles que desejam um enlace igualmente venerável. A união de um nobre e uma dama perpetua conexões centenárias que homenageiam os mais grandiosos fundamentos sobre os quais todo o reino foi construído e...*

Bateu os cílios com força e acordou. Respirando fundo, encontrou a passagem na qual havia cochilado.

– *...decoro, decência, desempenho são os Ds pelos quais todas as damas deveriam viver.*

O mais importante de todos os Ds que dizia respeito ao texto, no entanto, era... *desoladoramente* tedioso...

Elizabeth fechou os olhos por um momento. Quando os abriu, percebeu uma imobilidade absoluta.

Na tentativa de afastar a escuridão que a cercava, piscou devagar. Os arredores eram desconhecidos e estavam embaçados, o cricrilar dos insetos era o único som que ouvia. O pânico latejava em suas têmporas. *Onde... o quê?*

Elizabeth tateou procurando seus óculos. Quando seus dedos colidiram com a familiar frieza dos aros de metal em seu colo, deu-se conta de onde estava.

Crispin.

O pedido para que voltasse com ele.

Esfregando os olhos, Elizabeth colocou os óculos. Em algum momento, a carruagem havia parado. A essa constatação seguiu-se um horror crescente.

Nós chegamos.

Ou então...

Abriu a cortina e deu uma olhadela nas colinas esmeraldas. Os ricos tons de verde ganhavam uma tonalidade mais escura sob o manto da noite.

O que diabos...?

Procurou por Crispin, concentrando-se em qualquer indício de sua presença, nem que fosse a batida constante dos cascos de seu cavalo. Elizabeth engoliu em seco, lutando contra os vestígios do sono. Será que tinham parado para passar a noite? Mas ali...? No meio do nada?

Sua mente disparou. Ou talvez houvesse saqueadores na estrada.

Uma coruja piou uma estranha melodia noturna.

Com um gritinho, Elizabeth agarrou a maçaneta, escancarou a porta e saltou para fora da carruagem, caindo bem em uma poça de lama, que respingou em sua saia e até em sua bochecha.

Estendeu a palma da mão para manter o equilíbrio, apoiando-a no brasão ducal de Crispin na lateral do veículo, mas, com a brusquidão de seus movimentos, seus óculos escorregaram pelo nariz.

Elizabeth tentou em vão amparar a armação de metal, mas se embananou e ela escapou de seus dedos. Sentindo o coração afundar no peito, olhou em vão para a terra embaçada e escura.

– Raios me partam! – resmungou, caindo de joelhos. Estremeceu ao afundar na poça, melecando a saia. Se a Sra. Belden a visse agora, não haveria um posto esperando por ela ao retornar. Elizabeth sentiu alguém ao redor.

Brambly, o cocheiro de Crispin, vinha correndo.

– Está tudo bem, Vossa Graça?

Seu coração acelerou e, mesmo quase cega, procurou por Crispin.

– Vossa Graça? – repetiu o criado, tirando o chapéu. Ele estava mais grisalho do que quando se viram pela última vez.

Como sou idiota! Ele está se referindo a mim.

– Estou bem, Brambly – Elizabeth esboçou um sorriso que não foi correspondido. – Obrigada por perguntar.

– Vossa Graça – ele esboçou uma mesura rígida.

Sim, porque uma duquesa poderia viajar pelo interior da Inglaterra até sem roupas, que todo mundo perguntaria se ela precisava de ajuda. Ela e Crispin costumavam alternar entre fazer piadas e revirar os olhos diante das atenções dadas àqueles de posição elevada.

Como se ele próprio não fosse um dia ocupar seu lugar nas fileiras da nobreza.

Eles só não tinham se dado conta disso à época. Ou tivessem se entretido com a ideia de que ela, Elizabeth Brightly, uma aldeã, poderia igualar-se à posição de Crispin.

– Ah! – exclamou triunfando quando seus dedos enfim roçaram o metal frio. Limpando os óculos na frente de sua grossa capa de lã, Elizabeth levantou-se. – Espere! – ela chamou, e o criado de meia-idade retornou.

– Vossa Graça? – O homem corpulento que sempre a recebera com um sorriso e um gracejo, agora dirigia-se a ela com frieza. Uma palpável antipatia emanava de sua figura robusta.

Elizabeth franziu o cenho, sentindo seu equilíbrio novamente abalado. Tudo tinha mudado, até mesmo os criados que um dia a trataram como se fosse um membro querido da família Ferguson.

O cocheiro a encarou com impaciência. Ela pigarreou:

– Por que paramos? – obrigou-se a perguntar apesar do aborrecimento dele. Crispin tinha deixado claro que cavalgariam sem parar. Havia um baile a considerar... e o fato de que ele queria concluir o negócio pendente que ainda tinham.

Brambly indicou com a cabeça e ela olhou na direção do gesto.

– Problemas com a montaria de Sua Graça.

– Com a montaria? – Pressionando a mão na testa para focar a visão, Elizabeth tentou divisar ao longe.

Uma lembrança raiou em sua memória, do dia em que ela e Crispin assistiram maravilhados ao nascimento daquele cavalo tão querido. Dois amigos compartilhando do assombro e da alegria daquele momento, quando qualquer outro lorde teria esperado pela entrega de uma montaria premiada, um bem material que trocaria de mãos.

– Algo mais em que posso servi-la, *Vossa Graça*?

– Não – ela murmurou. – Isso é tudo.

O cascalho foi triturado ruidosamente sob seus pés conforme Brambly retornava a seu posto no topo da carruagem. Assim que ele se foi, Elizabeth voltou a atenção na direção em que o cocheiro havia indicado.

Realmente não era de sua conta. Crispin não a queria no seu pé... muito menos por perto. Portanto, deveria retornar à carruagem e esperar.

Elizabeth guerreou consigo mesma. Mas, oras, nunca fora mulher de ficar sentada à toa.

Ficou encarando a estrada da época dos romanos por um bom tempo e, então, mesmo que qualquer deliberação íntima pudesse ser considerada uma bobagem quando se tratava daquele homem, começou a descer a via.

Capítulo 6

Elizabeth tinha dito sim.

Considerando que ela havia desaparecido por quase dez anos só para evitá-lo, Crispin tinha antecipado uma batalha muito mais difícil para conseguir sua capitulação.

Na melhor das hipóteses, imaginou que ela educadamente lhe diria *não* e o mandaria seguir seu rumo. Na pior, viu-se implorando para ela voltar.

Copérnico relinchou e se levantou sobre três pernas.

– Calma – murmurou, acariciando seu torso. – Me perdoe. Eu estava distraído.

O garanhão castanho sacudiu a cabeça, bufando alto.

– Eu sei – resmungou Crispin. – Você merece toda a minha atenção. E agora você a tem.

No momento em que se agachou novamente para retomar o exame do casco esfolado de Copérnico, sabia que estava mentindo, e o leal cavalo também, pois puxou o casco ferido para junto de si.

Crispin fez o possível para esquecer Elizabeth. Após o terror inicial de imaginá-la solitária e desamparada, a lógica havia prevalecido. Não havia ninguém mais engenhoso ou capaz do que Elizabeth Brightly. O que lhe faltava em força física e altura, ela mais do que compensava com inteligência e esperteza. Não, a garota que conseguira nocautear, com nada além de uma pedrinha apontada para a têmpora do bastardo, o valentão da vila que zombava da pobre filha do vigário jamais se veria em apuros. Tais garantias não sufocaram seu medo, mas o impediram de enlouquecer pensando em todos os perigos que ela enfrentaria como uma mulher sozinha no mundo.

Crispin olhava para o ferimento de Copérnico, mas sua cabeça estava em outro lugar. Não fora só o medo que o consumira naqueles dias, fora o coração partido pela traição. Eles tinham conspirado e planejado um futuro juntos, amigos que se tornariam parceiros e cônjuges. Torceu os lábios de amargura. E, em pouquíssimos dias, ela tinha se arrependido de sua decisão.

Copérnico cutucou o topo da cabeça de Crispin.

– Você tem razão. Estou sendo negligente... – ele olhou para a enorme criatura. – Mais uma vez.

Copérnico relinchou em concordância equina.

Puxou o lenço branco de seu casaco e o abriu. Em seguida, começou a retirar cuidadosamente os resquícios de cascalho e a sujeira ao redor da ferida e, então, passou o tecido pelo machucado que sangrava um pouco.

Um círculo vermelho instantaneamente manchou o pano, e Copérnico bufava pelas ventas, tentando se desvencilhar.

– Calma – Crispin murmurou com serenidade. – Tenho de parar o sangramento.

Copérnico aquietou-se de imediato. Sem perder tempo, Crispin arrancou o peitilho da camisa e começou a fazer um curativo improvisado, mas parou no meio do caminho.

Sentiu a presença dela antes mesmo de ouvi-la ou de vê-la. Sempre teve um sexto sentido que lhe dizia quando Elizabeth estava perto. Crispin terminou sua tarefa e se levantou.

A meia-lua que pairava no céu noturno lançava um suave círculo de luz sobre Elizabeth, seus óculos grandes demais e aquela saia medonha. Como duquesa, ela deveria estar usando os tecidos mais finos e macios. E mesmo que não fosse, ela merecia estar envolvida em algo melhor. Qualquer coisa, menos aquelas peças grosseiras e feias que compunham seu novo guarda-roupa.

Sem ser convidada, ela se aproximou.

Ficando de orelhas em pé, Copérnico embrenhou o grande focinho no peito dela.

– Oh, coitadinho. Está com problemas novamente, não é, querido? – ela sussurrou, acariciando a fronte do animal.

Crispin só ficou observando.

– Por que você não faz outros amigos? Nobres de preferência? Homens? Aquela garota é uma esquisitona, Crispin! – Sua mãe implorou. – Ela fala com cavalos.

Ele também falava com aquelas criaturas leais, mas nunca quando havia alguém por perto. Já Elizabeth não tinha restrições nem desculpas em seu afeto por todas as criaturas.

Como se sentisse o escrutínio, ela o encarou de repente, soltando o focinho de Copérnico e recuando. O cavalo baliu em protesto, tropicando para a frente, pedindo mais um pouco de carinho.

Assim como eu, o pobre coitado.

– Brambly disse que ele estava ferido.

– É uma ferida na carne. Eu já enfaixei e... – Elizabeth se ajoelhou. – Voltarei em breve. Você estará segura com Brambly...

– Deixe-me ver as ataduras dele – Elizabeth pediu, preocupada, já desenrolando o curativo meio desleixado que ele tinha improvisado.

Sim, ela vivia colocando talas em pardais e coelhos feridos e era muito mais habilidosa nisso do que ele... ou qualquer um que Crispin conhecia. Ela desembaraçou o pano manchado e, apalpando ao redor do machucado, inspecionou a lesão.

Tirando as luvas manchadas, Crispin ajoelhou-se ao lado dela.

– Qual é a sua opinião?

– Ele está esfolado – disse, continuando a sondar o pequeno corte. – Vê aqui? – ela murmurou, arrastando a ponta do dedo na vertical, tomando cuidado para evitar o ferimento que escorria. – Há partículas de cascalho e rocha alojadas que decerto o estão irritando, mas ele não iria coxear por causa disso. – Elizabeth ergueu as mãos para Copérnico e ele afocinhou a ponta dos dedos dela. – Preciso ver o lado de baixo, senhor.

O cavalo rinchou queixoso.

– Tsc, tsc. Você é mais valente do que isso – ela suavizou a reprimenda com uma delicada carícia ao longo do joelho dele.

Crispin assistiu, engolindo em seco, enquanto ela corria os dedos para cima e para baixo em um toque gentil. Ele e Elizabeth sabiam tudo um do outro, e ainda assim... ele não a conhecia da maneira que Copérnico agora conhecia. Ele não sabia como era a sensação dos dedos dela em sua pele, o toque de sua mão percorrendo a carícia de uma amante.

– Isso, meu amor – ela dizia baixinho, e havia uma sofreguidão oculta em sua voz que era hipnotizante.

Crispin balançou a cabeça indignado. Que lamentável o dia em que um homem inveja seu cavalo pelas atenções recebidas.

– Você examinou todos os cascos? – ela perguntou, olhando de relance para ele.

– Não – Crispin respondeu, sentindo as orelhas queimarem. Estava ocupado demais lamuriando o que poderia ter sido e remoendo seus sentimentos feridos pela traição para cuidar adequadamente de seu cavalo. Seu *leal* cavalo.

Contornando o lado direito de Copérnico, Elizabeth começou a examinar os cascos traseiros.

– Você notou alguma variação de temperatura? – ela perguntou. – Que possa indicar uma possível lesão ou abscesso? – acrescentou, do mesmo jeito como ele falava ao ensinar astronomia a incontáveis jovens em Oxford.

Que abominável pensar no quanto seus talentos foram desperdiçados.

– Não notei.

Elizabeth passou tanto tempo instruindo jovens em matérias de conduta e decoro, quando, o tempo todo, havia muito mais que ela poderia ter lhes ensinado. Crispin não se conformava com esse fato, tanto pelas alunas quanto pela própria Elizabeth.

– Qual é sua opinião? – perguntou, forçando-se a abandonar o passado e se concentrar na lesão de Copérnico.

– Ele está bem. Pelo menos, os membros traseiros estão – ela moveu os calcanhares, batendo nas paredes do casco. – Veja por si mesmo – insistiu.

Enquanto Elizabeth retornava para as pernas da frente de Copérnico, Crispin inspecionava os jarretes traseiros. Enquanto fazia isso, na verdade olhava para Elizabeth por baixo das pernas da enorme montaria.

Ela estava quase dez anos mais velha do que quando a vira pela última vez, e havia uma maturidade maior no seu rosto em formato de coração, uma reserva que não existia na juventude, mas que agora lhe caía muito bem. Além das mudanças de temperamento, uma inteligência ainda maior brilhava em seus olhos. Façanha que ele teria julgado impossível. Elizabeth já era mais inteligente do que qualquer pessoa que ele conhecia.

– Ah! – ela exclamou ao se agachar. Vários cachinhos caíram sobre sua testa, e ela os colocou atrás das orelhas.

Usando isso como um convite para se juntar a ela, como queria desde o momento em que Elizabeth saíra do seu alcance – sempre fora de seu alcance –, Crispin olhou para o casco que ela segurava com delicadeza.

– O que é isso?

– Não é só um arranhão – ela explicou. – Aqui, vê? – E, com o gracioso pescoço inclinado para baixo e os cabelos firmemente presos na nuca, Crispin avistou uma marca de nascença cor-de-rosa no centro da nuca: em forma de coração com uma linha irregular, que lembrava uma flecha. Apesar de tudo o que lembrava e sabia dessa mulher, aquela marca sedutora era uma pista de todas as maneiras em que ela ainda permanecia um mistério. E de todas as maneiras como desejava conhecê-la. O desejo se agitou, uma fome potente enchendo seu corpo e impelindo-o de tocar os lábios naquela marquinha tentadora e explorá-la com a boca. – Está vendo aqui? – ela perguntou, sem levantar o olhar.

Seu pomo de adão raspou na garganta. *Você. Eu só vejo você...* Elizabeth o fitou, confusa.

– Não – ele disfarçou, tossindo no punho. Afinal, não estava prestando atenção à aula que recebia. Em vez disso, estava ajoelhado ao lado dela, perdido em devaneios de luxúria.

– Não é sua culpa – ela assegurou, indulgente. – Está escuro e, como tal, você não teria percebido em seu exame anterior. – Elizabeth levantou gentilmente o casco esquerdo de Copérnico e, indicando com a ponta do dedo, chamou a atenção dele para a descoloração na área acima da ferradura.

– Puta merda! – Crispin amaldiçoou. Como não havia percebido o ponto mais escurecido? *Porque você não para de pensar em Elizabeth Brightly desde que descobriu seu paradeiro.*

Copérnico saltitou nervosamente nas pernas traseiras, tentando recolher o membro machucado.

Assumindo as rédeas, Elizabeth conversou suavemente com o animal, que se acalmou no mesmo instante. Depois que ele se estabeleceu, ela retornou às suas ministrações anteriores. Ela cheirou o fundo do casco:

– Não há odor...

– E nenhuma secreção – Crispin observou, enfim dedicando a atenção que o cavalo merecia. Ela assentiu.

– Preciso limpar a abrasão com cuidado e depois enfaixá-lo – passou as rédeas a Crispin mais uma vez. Tirando a capa, Elizabeth segurou-a com os dentes pela gola e puxou o tecido grosso com força.

Riiiiiip.

O som alto fez Copérnico se agitar mais uma vez.

– Calma – Crispin sussurrou para o cavalo, afagando seu pelo suado. Estava fascinado com Elizabeth rasgando o tecido em tiras longas e irregulares. Ela veio ao socorro de Copérnico tal qual um cirurgião acudindo um soldado ferido em batalha.

– Tome – ela instruiu, entregando-lhe as ataduras improvisadas.

Tome era um comando perfeitamente condizente com uma duquesa. A palavra, proferida com confiança, era revigorante por sua sinceridade. Crispin pegou as tiras de tecido marrom enquanto mudava de posição para se acomodar melhor.

– A Sra. Belden deixava as criações a seu encargo ao longo desses anos? – ele perguntou, nada mais que uma tentativa patética de desvendar o segredo que tinha sido a vida dela nos últimos anos.

Se Elizabeth percebeu que ele estava sondando informações, não deixou transparecer. Sem fazer a menor pausa em sua tarefa, deu uma bufadinha e, como de praxe, respondeu com outra pergunta.

– A Sra. Belden o vê como um homem que deixaria uma moça cuidar de cavalos?

– Não – Crispin se viu sorrindo.

A velha harpia, que exalava uma cristalizada reverência pelos estratos sociais, teria procurado moldar Elizabeth segundo a sombra pálida de todas as damas de Londres. O sorriso se apagou. E, no entanto, sua esposa preferira tal existência a uma com ele.

Quiçá a fadiga, ou o choque de revê-la, ou quiçá a simples intimidade de cuidar de seu cavalo com essa mulher, mas a mágoa que pensou ter dominado amotinou-se dentro de si. Afiada. Pungente. Implacável.

Elizabeth foi lhe passando as ataduras sujas à medida que as substituía por tiras novas de sua capa rasgada, até que o fluxo de sangue diminuiu e enfim parou por completo.

Com um sorriso satisfeito e ainda agachada, ela relaxou e estudou o curativo que havia amarrado com habilidade sobre o casco de Copérnico. Vários cachos escaparam do coque apertado em que ela sempre amarrava o cabelo e insistiam em lhe cair sobre a testa levemente úmida. Crispin sentia os dedos arderem de vontade de sentir a textura daqueles cachos vermelhos de maneiras que nunca experimentou antes.

– Aí está – ela anunciou, passando as costas da mão sobre a testa. – Creio que isso deve aguentar até que nós o levemos a um estábulo adequado, onde poderá descansar.

Nós.

Uma palavra que os unia.

De repente, ela pegou na mão dele com os dedos manchados de sangue. Qualquer outra mulher teria ficado enojada com a perspectiva de sujar as mãos, ainda mais com sangue de cavalo.

Eles puseram-se de pé, constrangidos, quando nunca houvera nada além de descontração entre eles.

Elizabeth foi a primeira a quebrar o clima, inclinando-se para resgatar sua capa. Crispin, no entanto, interceptou seu movimento e, jogando o que restou do manto em uma pedra próxima, tirou a própria capa, feita de lã nobre e adornada em veludo, como as próprias roupas dela deveriam ser.

– Mas o que você...? – ela perguntou aturdida.

– Você não deveria estar vestindo roupas em trapos. – Ela merecia algo melhor. E a evidência da situação em que ela estava vivendo fazia seu estômago revirar.

– Pfft... – passou por ele e pegou a capa em questão. – Minha capa ainda serve ao seu propósito.

Essa sempre fora Elizabeth: não se impressionava com bens e bugigangas materiais que encantavam o resto do mundo.

Abotoou o último o fecho perto de sua garganta e seus dedos tremeram um pouco. Esse ligeiro tremor entregou que ela não estava tão composta neste momento quanto gostaria que ele acreditasse.

O que aconteceu conosco?

Eles sempre ficaram à vontade um com o outro, um bem-estar que nunca havia sentido na companhia de nenhuma outra pessoa. Crispin pigarreou, balançando-se de um lado para o outro.

– Acho melhor levá-lo até a pousada – disse, apontando para a estrada de cascalho à frente e Elizabeth seguiu o gesto. – A caminhada é curta até os arredores de Hampstead Heath. – E ele precisava de tempo para reorganizar os pensamentos e reerguer as barreiras que havia construído na ausência dela. – Voltarei em breve.

Ele olhou para Brambly, aguardando em seu assento no topo da carruagem. O criado retribuiu o olhar do outro lado.

– Eu posso ir com você – Elizabeth arriscou timidamente.

Crispin virou-se. Ela *queria* acompanhá-lo?

– Isso é... eu... não é preciso.

Elizabeth olhou para baixo. Chutou uma pedrinha com a ponta da bota arranhada e ela colidiu com seu pé.

– Bem, se prefere assim...

– Está bem – forçou-se a responder em tom neutro. Contudo, assim que se puseram a caminho, uma sensação de leveza foi se espalhando em seu peito. Era patético sentir-se tão bem por conta de um pedido tão bobo, mas o que podia fazer se sempre tivera uma quedinha por Elizabeth Brightly?

E continuava tão suscetível a ela como sempre.

Capítulo 7

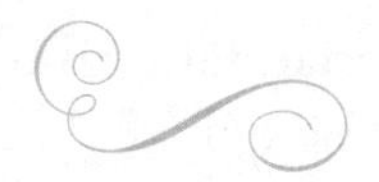

Está bem.

A resposta de Crispin não foi exatamente as mais sonoras boas-vindas. Tampouco tinha sido minimamente entusiasmada.

E por que deveria ter sido? Eles compartilharam um vínculo ao longo dos anos, que para ele nunca tinha sido romântico... mas e para ela?

Sua mente esquivou-se de qualquer outra exploração a respeito do que sentia por Crispin Ferguson, o Duque de Huntington. Tratavam-se de sensações e sentimentos que ela jamais se permitiu explorar, por medo de suas implicações.

Os fatos eram um terreno mais seguro. Eles eram concretos e indiscutíveis, enquanto sentimentos e emoções estavam abertos à interpretação e análise e podiam ser distorcidos até que uma pessoa não tivesse mais clareza sobre o que sentia.

Caminhando lado a lado, estavam tão perto que seus braços ocasionalmente se roçavam e Elizabeth procurava proteger-se nas dobras de sua capa. Não devia ter pedido para acompanhá-lo.

Seria melhor ter deixado que fosse sozinho e ficado para trás com um desdenhoso Brambly como única companhia. Quanto mais cedo eles retornassem a Londres, organizassem o baile e retomassem a vida, melhor seria para os dois.

Porque cada momento com Crispin tornava sua situação mais perigosa e frágil, pois era forçada a encarar todas as maneiras pelas quais ele *não* havia sido alterado pelo tempo, posição, poder ou privilégio. Era um cavalheiro, tinha um título, e mesmo assim não se importava de ajoelhar-se na lama e cuidar de seu cavalo. E, quando qualquer outro homem, independentemente da posição, teria se recusado a permitir que uma mulher assumisse a mesma tarefa, Crispin havia renunciado ao controle e enxergava uma mulher sendo tão capaz quanto qualquer um.

Sempre que pensava nele, imaginava que teria mudado. Que seria o devasso retratado pelos jornais, que andava na companhia de outros canalhas cujo principal interesse era levar beldades para a cama, e não as obras que já havia lido.

Sentiu o coração se apertar, tal qual o torno que seu pai utilizara quando construiu o balanço no quintal do chalé, e a pressão dificultava sua respiração agora que estava morrendo de ciúmes.

Havia outras mulheres em sua vida. Não meninas da aldeia, mas mulheres que ele realmente desejava... da maneira que um homem desejava uma mulher.

Elizabeth mordeu a bochecha com força até sentir o gosto de sangue na boca. Olhou de esguelha para ele: embora a figura ampla e poderosa fosse, fisicamente falando, um estranho e apesar de tudo o que era dito nas fofocas que contrabandeara a respeito dele ao longo dos anos, Crispin permanecia inalterado em todos os aspectos que realmente importavam. Tivesse ele se comportado como um duque pomposo, mais preocupado com o próprio bem-estar do que com o de um cavalo leal, seria mais fácil aceitar que ele procurara afeto nos braços de outras mulheres. Lordes não eram leais às esposas. Sua mãe sempre lhe dissera, geralmente em tom de brincadeira, ser essa a razão pela qual nunca desejou mais do que um comerciante excêntrico e falido como marido.

E era a razão pela qual ela o amava como amigo.

Mentirosa, sempre quisera algo a mais com ele.

Elizabeth tropeçou. *Não.*

Crispin a amparou pelo antebraço enquanto mantinha o controle das rédeas de Copérnico com a outra mão, seu toque desencadeando uma onda de eletricidade e calor que formigou todo o corpo de Elizabeth, assim como as descargas elétricas que ela tinha estudado. Magnéticas e intensas.

– Você está...? – Crispin ajudou-a se firmar.

– Estou bem! – Ela soltou depressa, com o coração ameaçando sair pela boca. Ele era um amigo. Ele era só um amigo. Ela o amava como amigo e nada mais. Sentiu a garganta seca e um frio na barriga. Não poderia ser mais nada. – Só tropecei... em uma raiz... – explicou num ritmo frenético, afastando-se de seu toque. Instintivamente, levou a mão para o lugar que o toque firme, mas gentil, a incendiara, mesmo através do tecido de lã. Crispin olhou para trás, para os poucos passos que haviam dado desde então. – Ou em uma pedra... – ela conclui debilmente. As nuvens no céu escolheram aquele momento inoportuno para revelarem a Lua e o luar brilhante evidenciou suas bochechas coradas. – Ou talvez tenha sido... – *Pare! Você só perdeu o equilíbrio.* Ele não precisa saber mais do que isso. Elizabeth calou-se e redirecionou sua atenção para o curativo que havia feito no ferimento de Copérnico. O calor pinicou seu pescoço ao sentir os olhos de Crispin nela.

No final, foi salva pelo mais improvável dos heróis.

Copérnico cutucou Crispin com força entre as omoplatas, empurrando-o levemente para frente. Trocando as rédeas de mão, Crispin deu uma rápida conferida no animal ferido.

– Você continua tão habilidosa como sempre para tratar de uma ferida – observou ele.

Elizabeth sentiu-se menos tensa. Estavam em terreno seguro. Esse era um tópico familiar que não envolvia recriminações sobre o passado ou sobre o desejo que ela enterrava em seu coração.

– Não fiquei totalmente fora de prática. Tive várias alunas de espírito mais livre que exigiram remendos ocasionais.

– Elas tinham?

Elizabeth não entendeu.

– Espírito livre?

– Sim. Claro – Um sorriso melancólico brincou em seus lábios. – Algumas mais que outras. – Lembrou-se de algumas de suas alunas mais vivazes. Aquelas garotas travessas foram um alívio no tédio de seus dias e marcaram sua existência.

– E todas as alunas deixam sua tutela com o espírito nivelado?

Ela se enrijeceu ao digerir o insulto, que teria de ser surda para não ouvir. A estalagem com paredes de carvalho surgiu à vista. Elizabeth concentrou-se na fumaça branca que saía da chaminé distante e lutou pelo comedimento que dominara tão desesperadamente ao longo dos anos.

– Nem todos têm o luxo de ganhar uma bolsa de estudos em Oxford – ela grunhiu, odiando a inveja que sempre sentiu quando ele conseguiu um desses postos tão distintos. – E com certeza não uma mulher.

– Tem razão, mas nem por isso você precisava ter vendido sua honra por um cargo na escola da Sra. Belden.

Elizabeth perdeu o ar e parou ao lado de uma grande pedra no centro dos jardins.

– Como ousa? – Agora ele iria julgá-la por ter sobrevivido como pôde nos últimos anos? E pelo lugar em que trabalhava?

– Ouso porque é verdade – ele retrucou, soltando as rédeas de Copérnico. O cavalo mancou até a beira da estrada e começou a mastigar as flores silvestres que cresciam ali.

– Você não sabe nada sobre a Sra. Belden! – Elizabeth sibilou, provando sua fúria. – E não sabe nada sobre mim.

Não sabe mais. Mas foi um erro dizer isso, porque Crispin se aproximou, tal qual um predador à espreita, suas brilhantes botas pretas moendo o cascalho e a terra.

– Não, Elizabeth, eu não sei – ele ronronou no odioso tom sedutor que decerto já havia usado com tantas outras.

E eu estou tão vulnerável a ele quanto elas.

– Mas eu já soube. Já soube tudo sobre você – ele sussurrou, como se tivesse lido seus pensamentos. – Eu sabia o jeito como você dobrava as páginas que lia até ter memorizado cada passagem. Sabia como você adorava a chuva, porque depois poderia pular nas poças.

O coração dela acelerou. Ele se lembrava de tudo isso? Todas as memórias distantes de seu eu mais jovem que nenhum canalha se daria ao trabalho de recordar. O esboço de um sorriso brincava nos cantos de seus lábios.

– Sim – ele repetiu, com uma precisão infalível. – Eu me lembro até disso.

Elizabeth recuou e suas pernas esbarraram na grande pedra, que mordeu o tecido de suas saias, ela perdeu o equilíbrio e caiu sentada no pedregulho.

– E mesmo assim... – Crispin postou-se diante dela e colocou um braço de cada lado dela, efetivamente prendendo-a. – Há muito mais que permanece um mistério sobre você... – ele deixou essa afirmação pendurada no ar como uma isca. Seus braços a envolveram como uma prisão da qual, por Deus, ela não queria escapar. Seu pulso diminuiu e então subitamente se acelerou em uma batida frenética. – Como o sabor de seus lábios.

– N-nós já nos beijamos... – Elizabeth retorquiu com o coração aos pulos.

– Como crianças – A respiração de Crispin balançou os cachos que escaparam do coque apertado, ele era a própria tentação personificada. – Não como homem e mulher. Não um beijo impulsionado pelo desejo que destrói o pensamento racional e deixa em seu lugar nada além de sentimento primitivo.

Engolindo em seco, Elizabeth inclinou a cabeça para olhar nos olhos dele. O movimento fez seus óculos escorregarem. Crispin levantou a mão e deslizou a ponta do dedo por seus lábios, pela ponta do nariz, até alcançar os óculos e ajustá-los em seu devido lugar.

– Aí está – ele sussurrou, estendendo a duração de seu toque.

Ele, sem dúvida, não havia usado nada além de alguns truques de conquistador para desconcertá-la e, no entanto, Elizabeth se viu muito menos lógica do que jamais havia acreditado. A paixão que ardia nos olhos de Crispin tirou o fôlego de seus pulmões, queimando-a com a intensidade de um olhar tão palpável que ela quase acreditou que ele tinha uma fome genuína – por ela.

– Você já está tão familiarizado assim com abraços e beijos roubados? – ela rebateu, mais um lembrete para si mesma de que o homem que lhe havia jurado lealdade traíra esse voto com outras. Belezas sem nome e sem rosto que desfrutaram o prazer do beijo de que ele agora falava.

A serpente verde do ciúme contorceu-se em seu íntimo, destilando seu veneno.

– Ah... – Crispin deu um sorriso preguiçoso. – Mas não estamos falando do que eu compartilhei com outras pessoas... – Ele baixou a cabeça, sua respiração agitava o ar frio da noite em espirais brancas de vapor. – Estamos conversando sobre como eu ainda não te conheço.

– A-ainda? – Elizabeth repetiu, mal reconhecendo o teor sensual da própria pergunta. O quanto aquela palavra sugeria.

Com o semblante nublado de cobiça, ele pousou a mão na bochecha de Elizabeth. Ambos tinham os olhos fixos um no outro, seus peitos arfavam no mesmo ritmo, e então, com um gemido, Crispin reivindicou seus lábios.

Calor – abrasador, enérgico e perigoso... tão perigoso quanto as correntes elétricas dos raios que havia estudado quando menina – incendiava seu interior.

Elizabeth gemeu e, em seguida, agarrando as lapelas da capa dele, inclinou a cabeça para receber o beijo, a união das duas bocas tão diferente do selinho apressado que compartilharam quando crianças. Agora, apenas a paixão crua e primitiva brilhava entre eles.

– Elizabeth... – ele gemeu. O nome, um apelo, um estrondo faminto e desesperado, apenas alimentava as chamas do desejo que agora se espalhavam dentro dela. Crispin lambeu seus lábios, delineando a abertura, silenciosamente pedindo passagem e ela o deixou entrar.

Sua língua roçou a dela como ferro quente, marcando-a, e ela gemeu, seguindo seus movimentos. Sem interromper o beijo, Crispin a deitou sobre a superfície lisa da pedra desgastada pelo tempo, posicionando-a debaixo de si tal qual uma oferta primitiva aos deuses.

Ele soltou os lábios dela, e Elizabeth lamentou a perda, um queixume incoerente que logo deu lugar a um suspiro enquanto ele descia os lábios por seu rosto, do canto da boca até alcançar o lóbulo da orelha direita. Ele mordiscou a carne delicada e chupou levemente, arrancando outro gemido profundo de sua garganta.

– Tão linda – Crispin sussurrou contra o pescoço dela e, com um longo gemido, Elizabeth inclinou a cabeça para o lado, permitindo-lhe melhor acesso àquele lugar onde seu pulso batia violentamente.

Ele explorou sua pele com os lábios, dando mordidinhas suaves, como um garanhão marcando sua égua. Tão primordial, tão crua, sentiu a ânsia latejante em seu centro se acentuar. Enquanto ele adorava seu colo, Elizabeth enroscou os dedos nos exuberantes fios de seus cabelos castanhos bem cortados, segurando-o bem junto de si.

O tempo todo, Crispin passou as mãos sobre ela, explorando-a. Por cima do tecido de sua saia, encontrou seus quadris, afundando os dedos em sua carne.

– Crispin – Elizabeth gemeu. Por vontade própria, suas pernas se abriram em um convite tão antigo quanto Eva. E sentiu o membro dele, grosso e duro de desejo, cutucando-a sobre as saias, e a ânsia em seu centro transformou-se em uma dor sôfrega. Ofegando como se tivesse corrido uma maratona, ele apoiou os cotovelos em ambos os lados da cabeça dela e recuperou sua boca, empurrando a língua profundamente e acasalando-se com a dela em uma dança primitiva.

Ele me quer.

Era uma verdade inebriante e improvável, e, no entanto, cada golpe de sua língua contra a dela e cada sibilo de seu hálito eram protestos famintos.

Levantou as saias dela lentamente. O ar frio da noite soprou em sua pele, um bálsamo para o fogo que ele havia atiçado. Crispin acariciou a perna nua, como se estivesse familiarizando-se com a sensação de tê-la em suas mãos, uma massagem gloriosa que puxou pedidos ininteligíveis e incoerentes de sua garganta.

De repente, Crispin se afastou.

– Não – Elizabeth sussurrou. Respirando com dificuldade, ele olhou para ela através dos cílios pesados. Pousou a ponta dos dedos nos lábios dela.

Com agilidade, colocou-a de pé e, conforme a saia farfalhava desenrolando-se de volta ao seu lugar, ele arrumou os cachos soltos, colocando-os atrás de suas orelhas com a destreza típica de um casanova.

O quê? Por que tinha parado...?

Alguém pigarreou.

Oh, merda!

A pontada de mortificação consumiu o frescor deixado pela brisa noturna, e Elizabeth se encolheu atrás de Crispin. Obviamente, dada a reputação de canalha que tinha, ele era mestre em encontros furtivos.

Um rapaz com aparência cansada e um rosto sardento os encarava sem disfarçar.

– Posso ajudar? – ele ofereceu, alternando um olhar curioso de Elizabeth para Crispin várias vezes antes de, por fim, escolher a parte mais bem-vestida e influente do par.

Crispin endireitou-se e todos os traços da fúria de momentos antes sumiram. Em seu lugar estava o cavalheiro suave, comedido e sempre encantador.

– Minha montaria está ferida e precisa de cuidados e um estábulo – Crispin pegou um saquinho e o jogou. O garoto o pegou habilmente. – Precisarei estabilizá-lo aqui até que possa enviar alguém para recuperá-lo. Também precisaremos de dois quartos.

O garoto fez uma pausa no meio da avaliação do conteúdo do saco de veludo.

– Não tem dois quartos, senhor. Mamãe e papai têm apenas um quarto para a noite.

Elizabeth contraiu os dedos dos pés dentro de suas botas. Droga! Claro que havia apenas um quarto.

– Ficaremos com o quarto disponível.

O garoto assentiu e, coletando as rédeas de Copérnico, conduziu o cavalo aos estábulos. Depois que ele se foi, Crispin olhou para ela.

– Ainda não terminamos – prometeu em um sussurro rouco.

Conforme se dirigiam para a estalagem, o pavor corroía suas entranhas, pois, que Deus tivesse piedade, Elizabeth constatara o quanto era fraca. Não queria terminar com Crispin Ferguson, e essa verdade arrepiou até seu último fio de cabelo.

Capítulo 8

Sempre houve debates acalorados entre Crispin e Elizabeth. E risadas e diálogos afiados.

O que eles nunca tiveram de enfrentar, no entanto, era o silêncio.

Até agora.

Um silêncio pesado, tenso e desconfortável pairava no ar e crescia a cada instante que passava. Desde que cederam ao enlace, Elizabeth, que nunca fora tímida, evitava seu olhar.

Enquanto seus pertences eram levados para o quarto que compartilhariam e o banho era preparado pelo dono da taverna, Crispin e Elizabeth estavam sentados, cada um na ponta de uma mesa irregular de carvalho no meio de uma silenciosa sala de jantar, com dois pratos entre eles.

Elizabeth mexia com o garfo em seu prato, concentrando-se na torta de cenoura com a mesma intensidade que costumava dedicar aos livros que ele surrupiava da biblioteca de sua família e entregava para ela estudar.

O que, depois de um dia de viagem e sendo essa a primeira parada, não seria incomum... se ela não tivesse sempre sido melindrosa e reclamona toda vez que sua mãe cozinhava tortas.

Crispin apertou os dedos em torno da caneca de estanho que tinha em mãos. O desconforto dela agora era tão evidente quanto da última vez que tinham se beijado. O encontro anterior de suas bocas causou estragos em seus sentidos e assombrou os sonhos do menino de 16 anos.

Aquela troca, para ele, tinha sido mágica e maravilhosa e...

– Credo! Isso foi tão agradável quanto uma cenoura crua. Não sei por que tanto estardalhaço em torno de um beijo!

Tinha sido também o momento em que seu orgulho fora gravemente ferido pela verdade de que os sentimentos que nutria pela menina um pouco mais nova eram unilaterais – e sentiu-se humilhado.

No passado, fugiu logo após o primeiro beijo, covarde demais para enfrentar as caretas dela, mas agora permaneceu sentado à sua frente, analisando a cabeça abaixada por sobre a borda de seu copo.

O desgosto em seus lábios franzidos quando menina fora substituído pelo desejo de uma mulher. Seus gemidos ofegantes ainda ecoavam em sua mente, sua gana silenciosa enquanto ela se agarrava a ele como hera. Ao contrário de antes, agora ela o queria tanto quanto ele ansiava por ela, e essa constatação lhe deu forças.

Recostando-se na cadeira, Crispin esticou as pernas e a ponta de suas botas colidiu com as dela. Elizabeth ficou rígida, mas não fez nenhum movimento para levantar a cabeça.

– Você mudou bastante, Elizabeth – ele observou, deliberadamente baixando o tom de sua voz.

O garfo arranhou na beira do prato, batendo em uma batata cozida que saiu rolando pela mesa. Ela lutou consigo mesma, uma luta evidente na tensão de seus ombros estreitos. Mas Elizabeth não era covarde e levantou a cabeça lentamente, desafiando-o a continuar. Crispin tentou disfarçar o sorriso.

– Vejo que desenvolveu um gosto por... – as sobrancelhas vermelhas e finas arqueadas por cima dos óculos – ...*cenouras*.

Ela não piscou por um longo minuto, seus olhos impossivelmente grandes formando círculos perfeitos. Crispin piscou.

Elizabeth enfim desviou o olhar, as sobrancelhas retornando ao seu devido lugar. Crispin acenou com a cabeça para o prato de torta remexida, mas não consumida. Ela seguiu o olhar dele. Murmurando baixinho, pegou a faca e esculpiu um dos pedaços já cortados em vários minúsculos pedaços menores.

– O que é isso? – os lábios dele se contraíram.

– Eu gosto deles bem pequenininhos – ela murmurou. Ainda assim, não fez nenhum movimento para levar o garfo aos lábios.

Foi a vez de Crispin arquear as sobrancelhas. Ela pronunciou algo muito parecido com *cérebro de aranha irritante*.

– É uma acusação muito injusta, sabia – disse ele, e ela fez uma pausa, uma garfada de torta a meio caminho da boca. – É só uma questão de proporção.

– O quê? – Elizabeth indagou, abaixando o utensílio.

– A aranha – ele elucidou. – Dado o seu tamanho, elas são, na verdade, *puro* cérebro.

– É mesmo? – Elizabeth piscou loucamente e o conteúdo de seu garfo caiu sobre a mesa.

– Albrecht von Haller... – ele recostou-se, encorajado pelo interesse dela.

– O naturalista suíço – ela o interrompeu com tanta excitação brilhando em seus olhos que iluminou seu rosto e corou suas bochechas com um delicado rubor.

Crispin sentiu toda a respiração presa em seu peito.

Ela é magnífica...

Elizabeth inclinou a cabeça, colocando os óculos um pouco tortos para cima e resgatando-o de seu devaneio.

– Ele não era apenas um naturalista – Crispin prosseguiu, pigarreando. – Suas áreas de estudo também incluíram anatomia e fisiologia.

Ela abriu a boca e depois parou. A suspeita turvou seu olhar e ela estendeu o garfo ameaçadoramente.

– Nunca lemos nenhuma evidência de seus trabalhos sobre herbários.

– Não, *nós* não lemos – Crispin lançou-lhe um olhar aguçado. Mas poderiam ter lido, no entanto. Havia tanto que eles poderiam ter compartilhado.

Elizabeth vacilou quando o entendimento se anunciou em seus traços expressivos e ela abaixou lentamente o garfo.

Crispin curvou os dedos com força em torno do caneco. Não queria quebrar o vínculo frágil com conversas sobre o passado.

– Seu filho, Gottlieb Emanuel, veio dar uma série de palestras em Oxford, falando extensivamente sobre as obras de seu pai.

– E sobre quais tópicos ele falou? – Ela se inclinou para frente, a faísca animada mais uma vez acesa em seu olhar inteligente.

Como havia sentido falta dessas trocas. Crispin assentiu e pousou a bebida.

– Haller acreditava que, à medida que o tamanho do corpo diminui – ele fez um gesto aproximando as mãos separadas até que as palmas quase se tocassem –, a proporção do corpo dominada pelo cérebro aumenta.

– O que não necessariamente significa maior função cerebral – Elizabeth ressaltou, torcendo o nariz.

– Não – o sorriso dele aumentou. – No entanto, influi na relatividade de tamanho.

– Hum... – Ela mordeu a ponta do dedo indicador, com o olhar contemplativo. Então perguntou abruptamente: – Houve estudos realizados?

– Quanto a eu ter ou não um cérebro de aranha? – ele perguntou, provocando uma vigorosa risada nela, a expressão de alegria atraindo olhares das mesas próximas. Ele também riu, seu peito retumbando com um divertimento que há tanto tempo não sentia.

– A aranha – ela esclareceu desnecessariamente, limpando as lágrimas de riso dos cantos dos olhos.

– Não que eu tenha conseguido descobrir – Crispin balançou a cabeça, piscando um olho para ela. – Só tomei a liberdade de aplicar o princípio ao seu insulto.

– Justo – ela concordou com uma leve torção de lábios.

Eles sorriram um para o outro e, simples assim, restauraram o par que conversaria por horas sobre assuntos que deixariam seus pais horrorizados. Quando foi a última vez que Crispin se divertiu tanto? Nenhuma de suas companhias nos últimos anos se importava com nada além de seus próprios prazeres: bailes, saraus, mascaradas escandalosas com o único amigo que havia feito na ausência de Elizabeth.

Tão rápido quanto veio, no entanto, o sorriso desvaneceu-se, e a realidade colocou-se entre eles uma vez mais.

Como se ela pudesse, de fato, não ser um obstáculo. Como se Crispin pudesse simplesmente deixar para trás o abandono que tinha sofrido. Como se pudesse deixar de lado o desprezo que tinha por si mesmo por ainda se ver tão abalado pela traição dela. Levantou o caneco e tomou um longo gole da cerveja vil e amarga.

– Permitirei que se dedique às suas cenouras, madame.

– Está me desafiando? – Ela semicerrou os olhos, jogando para trás uma mecha teimosa desgarrada do penteado desgrenhado, e vários cachos rebeldes também se soltaram, chamando a atenção de Crispin para a gola alta de seu horroroso vestido cinza.

Em sua mente, trocava aquele tecido grosseiro por um cetim brilhante que se moldava ao seu corpo delgado em todos os seus movimentos. A luxúria corria em seu sangue, substituindo a brevidade e descontração anteriores, enquanto sentia crescer o apetite para prová-la mais uma vez. O fogo de seu desejo ardeu com ainda mais força quando Elizabeth levantou o queixo, desafiadora, separou os lábios e colocou aquele um pequeno pedaço de torta em sua boca.

Uma migalha ficou em seu lábio inferior. Ela colocou a ponta da língua para fora, rosada sobre o lábio carnudo, e Crispin lutou para conter um gemido.

– Senhor?

Relutante, Crispin virou-se para a garota que estava ao lado da mesa, amaldiçoando em silêncio a interrupção. A bela jovem rechonchuda se aproximou e deu um sorriso que era um convite ousado.

– Precisa de mais alguma coisa? – ela ronronou, inclinando o corpo de uma maneira que dispensava Elizabeth.

Pelo canto do olho, Crispin viu a expressão de desagrado que se formou no semblante de sua esposa.

– Não! – Elizabeth retrucou. A garçonete piscou de surpresa. – *Nós* não precisamos de mais nada – ela concluiu, cuspindo fogo.

Seria possível que ela estava... *com ciúmes*?

Aborrecida, a criada fez uma rápida reverência e saiu andando. Assim mesmo, o momento que ele e Elizabeth compartilhavam foi quebrado.

Sua esposa empurrou a cadeira para trás com tanta vivacidade que o assento tombou um pouco para trás, mas se endireitou antes de cair. Crispin levantou-se rapidamente.

– Foi um dia longo. Vou procurar meu quarto – anunciou Elizabeth com firmeza. Ela hesitou e, por um momento, parecia que diria algo mais. Naquele instante sem fim, Crispin torceu para que ela pedisse que ele a acompanhasse.

Mas então, com um ligeiro aceno de cabeça, Elizabeth se virou e fez o que fazia de melhor: deixou-o para trás.

Capítulo 9

Era muito difícil.

Parte dela sabia que estar com Crispin seria difícil.

Mas nunca imaginou que seria *tão* impossível.

Com a pele ainda quente pelo calor do banho e livre da sujeira do longo dia de viagem, Elizabeth estava deitada, encarando o afresco rudimentar que algum artista principiante havia tentado pintar no teto.

Dando tapinhas no rosto, soltou um suspiro longo e alto, extravasando a frustração que fervilhou dentro de si dia o inteiro.

– Albrecht von Haller – gemeu, o nome abafado pelas palmas das mãos. – A regra de Haller sobre proporção e anatomia...

Balançou a cabeça e os cachos úmidos e soltos espirraram gotículas de água sobre a colcha branca.

E depois a bendita criada. Voluptuosa, bonita, loira e todos os adjetivos que Elizabeth não tinha, nunca tivera, nem jamais teria. Há muito, muito tempo, havia aceitado que algumas mulheres nascem deslumbrantes e outras... simples e comuns como chá na Inglaterra, como Elizabeth.

E, no entanto, ao ver outra mulher se atirando com tanta coragem sobre Crispin, seu marido, que nem duas horas antes tinha colado a boca na sua e a explorado como se fosse uma daquelas sereias míticas que atraíam homens mais fracos para o fundo do mar... O ocorrido serviu apenas como lembrete da reputação de canalha que Crispin havia conquistado nas colunas de fofocas e entre as viúvas mais escandalosas de Londres.

O mesmo ciúme que se agitou dentro dela na taverna mostrava sua faceta indesejada mais uma vez. Feroz, afiado e cortante, zombando de suas tentativas de demonstrar indiferença, pois o fato era que nunca havia sido indiferente a Crispin Ferguson. Quando menina, caíra de admiração por ele e sua inteligência. E então, quando jovem, caíra de amores pelas mesmíssimas razões.

– E agora? – sussurrou para o querubim gorducho com dentes levemente afiados acima de si.

Ainda estava de quatro por ele, depois de todos esses anos.

Um longo e miserável gemido passou por seus lábios. Elizabeth abriu bem os braços, engruvinhando a colcha gasta. Pequenas partículas de poeira dançavam no ar, e ela seguiu a trilha sinuosa de um pontinho até ele desaparecer do lado da cama.

Era o ápice da tolice desejar um homem que jamais a desejara de verdade e que, na sua ausência, vivia feliz e contente sem ela.

Elizabeth mordeu o lábio inferior. Exceto que, por mais que a vistosa garçonete tivesse se insinuado com muito mais do que palavras, Elizabeth procurou uma pitada qualquer de interesse por parte de Crispin – um sorriso encorajador, uma piscadela ou até um olhar apreciativo. Não viu nada.

Esse desinteresse, aliado ao estudioso com quem discutira princípios anatômicos, não se encaixava na descrição do homem que seguira tão de perto nos jornais e que acabou descobrindo seu paradeiro na escola da Sra. Belden.

– Chega! – murmurou, colocando-se sentada. Era uma criatura racional e se apegou à lógica para impedir que sua mente descesse mais fundo nessa loucura. – Você não quer saber dele ou então você o a... – Sua mente recusou-se a pronunciar a palavra, com receio até de que respirar sua existência poderia transformar a conjectura em verdade.

Elizabeth pulou da cama, o frio do piso de tábuas penetrando em seus pés. Ignorou o calafrio quando começou a andar de um lado para o outro, contando nos dedos enquanto caminhava.

Fato: Ela e Crispin tinham uma história em comum. Eram amigos leais muito antes de se tornarem cônjuges revoltados.

Fato: Ela admirava sua inteligência e suas atividades acadêmicas, mas apreciaria qualquer outra pessoa que tivesse tais habilidades.

Fato: O que ela sentia ou não por ele era irrelevante no projeto de futuro de ambos.

Não havia mais nada entre os dois. O que sentia por ele era mais do que natural, afinal era fruto da admiração que ela teria sentido por qualquer outra pessoa.

Sentiu o peito apertado, doído, dificultando a respiração. Elizabeth parou abruptamente, e a barra da sua camisola branca de algodão enrolou-se em seus tornozelos. As declarações que ecoavam nos recônditos de sua mente não passavam de mentiras que estava contando a si mesma.

Olhou fixamente para o canto da sala onde jaziam dois baús, dois bens materiais tão diferentes quanto seus donos. Um fora feito à mão com amor, tempo e habilidade pelas mãos de seu pai. O outro era uma peça francesa confeccionada com madeira de jacarandá, pregos e trancas metálicas que ainda tiniam de novos.

Suas pernas ganharam vontade própria e a levaram até lá. Agachou-se e apoiou uma palma em cada baú. Um áspero. O outro suave. Semelhantes em alguns aspectos e ainda assim muito diferentes.

Assim como ela e Crispin sempre foram.

– Qual é a alternativa? – sussurrou. *Que você enfrente sentimentos que há muito vem negando?* O que de bom poderia haver nisso?

Em momento algum, Crispin manifestara qualquer intenção por algo além desta breve estadia em Londres, uma apresentação diante da alta sociedade.

– *É essencial que a alta sociedade veja que eu sou casado, que você realmente existe, e depois? Depois você pode voltar à sua vida de sempre.*

Não, tais palavras dificilmente continham qualquer indício de devoção eterna ou uma necessidade imutável de ficar com ela.

– Porque ele não queria ficar com você, sua idiota – ela disse em voz alta, o lembrete rasgando uma ferida que sempre estaria meio aberta. Crispin seguiria sua vida sem ela, porquanto estaria livre para viver como se fosse solteiro, mas sem se preocupar com mães casamenteiras, ou jovens damas caçando um título de duquesa.

E eles se tornariam estranhos mais uma vez.

Mas ele não parecia diferente. Não nos aspectos fundamentais.

Elizabeth mordeu o lábio inferior com força. Seu olhar recaiu no baú de Crispin. Hesitou, olhando para a tampa envernizada de jacarandá.

Era o cúmulo do erro até mesmo pensar nisso.

Conferiu se tinha alguém à porta à medida que era arrebatada pela necessidade de conhecer e explorar os pertences de Crispin. Lutou consigo mesma por mais um breve momento e, enfim, abriu os fechos bilaterais. As dobradiças lubrificadas deram um satisfatório clique. Levantando a tampa, espiou lá dentro. E perdeu o ar.

Sentiu-se no paraíso.

Um bem-aventurado, glorioso, nunca esquecido, mas ainda assim distante paraíso.

Ele viajava com livros.

Sempre viajou. Mesmo ao fazer a jornada da propriedade ancestral de sua família até o modesto chalé da família de Elizabeth, Crispin sempre tinha um livro consigo.

Debruçou-se para examinar os volumes organizados em pilhas no canto do baú. Seu olhar voou sobre os títulos dourados em relevo: *Ensaio sobre os Vedas*, de Henry Thomas Colebrooke; *Um guia pelo distrito dos lagos, Conversas sobre química, uma obra anônima.* Então Elizabeth ficou paralisada.

Seu coração parou por uma batida. Incapaz de respirar ou de se mover, ela contemplou o exemplar desgastado e envelhecido que parecia mais um caderno do que um livro. Tão familiar... e esquecido.

Com os dedos trêmulos, pegou a pequena cópia de *História natural para crianças em palavras de quatro letras.* Acariciou com a palma da mão as duas crianças impressas na capa, uma menina olhando fixamente por cima do ombro de um garoto.

– *Somos nós dois, Crispin. Tome. Quero que fique com ele, para se lembrar de mim quando for a Eton.*

O dia em que lhe entregou o livro e assistiu à carruagem do Duque de Huntington levá-lo para longe foi o mais triste de sua vida jovem e solitária.

E o dia em que descobriu que ele tinha voltado para sempre foi o mais feliz. E ainda era, mesmo agora. Ele, filho de um duque, conseguiu o impossível: persuadira seu pai a permitir que estudasse em Oxfordshire, sob a tutela dos principais tutores.

Um sorriso melancólico brincou em seus lábios.

Mas, é claro, não tinha sido realmente impossível. Nada jamais estivera de verdade fora do alcance de Crispin, o Duque de Huntington. Dada a maneira hábil como ele manejava palavras, seria capaz até mesmo de negociar uma trégua entre Lúcifer e o próprio Deus Todo-Poderoso.

Abraçou o livro puído, aninhando-o com carinho contra o peito, consciente da idade e do desgaste. Crispin o guardara. Todos esses anos, ele não só ainda tinha o livro da infância, mas também viajava com ele.

– Por que faria isso? – sussurrou. Por que, se não se importava? Nem um pouco que fosse?

Passos soaram no corredor. Elizabeth olhou para cima, momentaneamente congelada. Estavam cada vez mais próximos, confiantes, medidos.

– *Inferno*! – murmurou. Fechou a tampa do baú, estremecendo com o clique incrivelmente alto das travas ao serem encaixadas. Ficou de pé no exato momento em que os passos paravam diante da porta do quarto alugado.

Maldição, maldição, maldição. Ainda agarrava o livro de sua infância, e o horror a atravessou. Contemplou brevemente o baú.

O ruído de uma chave deslizando na fechadura fez com que se movesse.

Elizabeth mergulhou na cama, o colchão velho gemendo alto enquanto ela lutava sob as cobertas amarrotadas. Enfiou seu livro – não, o livro dele – debaixo do travesseiro e deitou de costas, fechando os olhos quando a porta se abriu.

Mesmo de olhos bem fechados, sentia o olhar de Crispin sobre si como um toque físico. Ele se demorou, pairando sobre a pessoa esparramada no centro da cama. Ela deixou os lábios tensos ficarem um pouco frouxos, forçando os músculos do rosto a relaxar.

As dobradiças sem graxa gemeram quando Crispin fechou a porta atrás de si e se moveu pelo cômodo.

Sozinhos.

Eles estavam sozinhos.

Tudo bem que ela estava dormindo, apesar de fingir, e eles já tinham estado sozinhos em outros quartos sem que ninguém soubesse. Mas tinha sido quando eles eram crianças, e Crispin, mestre em esgueirar-se, fora ao quarto dela para que pudessem ler juntos à luz de velas algum texto científico que ele não podia esperar até o dia seguinte para mostrar a Elizabeth.

Agora eles eram homem e mulher, que apenas algumas horas antes tinham explorado a boca um do outro com um entusiasmo muito maior do que jamais haviam compartilhado por qualquer tópico científico.

No silêncio absoluto do quarto, Elizabeth entreabriu levemente um olho.

De costas para ela, Crispin estava de pé ao lado do banco de carvalho. Ele virou os ombros para trás, relaxando os músculos que marcavam o tecido de seu casaco de montaria. Levou as mãos ao peito, enquanto Elizabeth observava, incapaz de desviar o olhar, fascinada, enquanto ele abria os botões.

Crispin desvestiu a peça e a colocou com cuidado sobre o encosto do banco e ali estava ele, apenas em mangas de camisa, calças e botas.

Ficou difícil respirar. *Respire. Respire.*

Devagar. Inspirações profundas.

É isso que pessoas adormecidas fazem.

Foram tentativas vãs. Estava enfeitiçada ao vê-lo em sua intimidade. Havia algo tão proibido em espiar Crispin sem ele saber e ainda mais tirando a roupa.

Ele puxou a barra da camisa branca de dentro da calça.

Oh, Senhor amado.

Era uma oração silenciosa balbuciada em meio aos pensamentos desorientados. Crispin puxou a peça pela cabeça. O fogo que ainda dançava na lareira banhava seu corpo com um brilho suave, e ela sentiu a boca ficar seca.

Não seja tola. Você já o viu despido inúmeras vezes. Sem camisa. Sem botas. Oras, até já nadou nua com ele.

De fato, quando ela tinha 5 anos e ele 8, quase 9 anos.

Mas nu era...

Uma mentira.

Pois nunca o vira *assim*.

Suas costas largas eram uma demonstração de força bruta e masculinidade, músculos vigorosos, com uma coluna orgulhosamente ereta. Ele era um modelo talhado com tamanha perfeição que um artista arderia de vontade de memorizá-lo em pedra.

Crispin alongou os braços diante de si e, segurando o bíceps, puxou o membro bronzeado para o ombro oposto.

Oh, meu Deus do céu, ela murmurou em silêncio.

Nenhum homem, não, nenhuma pessoa tinha o direito de possuir tanta beleza a ponto de fazer meros mortais apenas apreciarem e lamentarem. E não havia dúvida de que, com seus quadris delgados, a cintura ainda mais fina e os seios pequenos, ela exemplificava as palavras *comum* e *ordinária* em todos os sentidos.

Enquanto Crispin era... nítido?

Elizabeth olhou sem piscar para as sombras que dançavam nas costas dele.

Ele estava muito nítido.

Maldição.

Segurando a respiração com tanta força que seu peito até doía, Elizabeth levantou a mão lentamente. Sem desviar os olhos de Crispin, tirou os malditos óculos do nariz e... Inclinou a cabeça, olhando horrorizada para a armação de aros.

Agora, o que faria com eles?

E ele já te viu dormindo, tolinha.

Talvez não tivesse notado. Elizabeth colocou os óculos de novo e a cama estralou com o movimento abrupto. Ela virou para o lado e soltou uma bufada falsa e trêmula. O silêncio caiu, seguro e tranquilizador, e ela contou os segundos que passaram.

As tábuas largas do piso rangeram, indicando que Crispin estava se movimentando.

Não seja boba. Ele nem sequer está prestando atenção em você dormindo aqui – aliás, fingindo dormir.

E por que deveria? Quando ela o deixou, a beleza de formas fartas e curvilíneas era a que chamava a atenção dele, e foi com esse tipo que ele se enredou em escândalos ao longo dos anos seguintes. De costas para ele, Elizabeth abandonou o fingimento e olhou sem expressão para as sombras que dançavam nas paredes. Ela o abandonara e não tinha direito a ressentimentos – nem a sentimentos, para ser honesta – sobre o tipo de mulher com quem ele se envolvia.

E, no entanto, odiava saber que um homem que se dedicava a livros e estudos superiores tivesse preenchido seus dias e suas noites com conquistas vazias.

O que você preferiria? Que ele tivesse encontrado outra intelectual esquisita com quem compartilhar algo ainda mais significativo?

Elizabeth mordeu o lábio inferior. Era tão egoísta quanto as horas eram longas na escola da Sra. Belden, pois desejava que nunca tivesse acontecido *nada* entre Crispin e... *qualquer* mulher. Desejou que ele não tivesse companheiros libertinos de aventuras libidinosas e que sentisse tanta falta dela quanto ela sentia dele.

E esse não é seu único desejo. Escandalosamente, você deseja conhecê-lo da mesma maneira que todas as outras mulheres.

A vontade de virar e roubar outra espiadela em seu físico masculino a dominou.

Claro, afinal por que não deveria se virar com quem não quer nada para o lado oposto? Isso só tornaria a ilusão de seu estado adormecido ainda mais convincente. Concentrando-se em respirar fundo, Elizabeth se virou. E roncou levemente.

Por entre os cílios semicerrados, espiou. Sentado no banco de carvalho, Crispin tirou uma das botas pretas adornada com detalhes de couro castanho; um par delas valia mais do que todos os sapatos que ela já calçara na escola da Sra. Belden.

Ele colocou a bota junto ao banco e depois retirou o outro pé.

Elizabeth abriu os olhos e, melancolicamente, analisou-o enquanto Crispin se dedicava à sua tarefa.

Todas as jovens na Sra. Belden costumavam jogar suas vestes e acessórios ao acaso em seus aposentos. Elas deixavam tudo espalhado pelo chão para suas respectivas criadas arrumarem. E se os quartos não estivessem organizados de modo a agradar a intragável diretora, não eram as jovens que seriam castigadas, mas as criadas. Muitas delas pagaram o preço com a perda do emprego.

Porque esse era o mundo que a Sra. Belden se esforçava para manter, um mundo em que lordes e ladies nem sequer tinham a responsabilidade de cuidar das próprias roupas.

Crispin tirou a outra bota e colocou-a ordenadamente ao lado do outro pé. Só então, olhou para cima.

Com o coração acelerado, Elizabeth fechou os olhos com força.

E roncou.

Capítulo 10

Ela roncou.

Crispin comprimiu os lábios em uma linha fina para não ceder ao sorriso que puxava os cantos de seus lábios. Elizabeth deu uma fungada trêmula pelo nariz.

Ela *fingia* muito mal. Mas também nunca fora de encenar.

Ao contrário das damas da alta sociedade, cuja companhia ele fora obrigado a aturar durante anos, que calculavam tudo, dos sorrisos aos olhares sedutores, Elizabeth não tinha artifícios. E, até entrar nesse quarto alugado e vê-la de óculos, espiando-o por entre os cílios vermelhos, havia esquecido o quanto sentia falta dessa candura.

Colocando-se de pé, Crispin inclinou o pescoço primeiro para a esquerda e depois para a direita, alongando os músculos rígidos após um longo dia de cavalgada. Olhou contemplativamente para a chama fraca na lareira de pedra.

– O fogo está se apagando – murmurou.

Indo até seu baú, levantou a tampa destrancada e pegou um punhado de livros, colocou-os debaixo do braço e cruzou a sala. Levou o braço para trás e então jogou um para a frente.

– Não! – Elizabeth gritou, pulando da cama. Seus pés atingiram o chão com um baque barulhento. Os lençóis brancos emaranhados em torno de suas longas pernas faziam-na tropeçar. Ela praguejou e caiu para frente antes de se agarrar à beira do colchão. Tentando se livrar freneticamente da colcha enroscada nas pernas, Elizabeth atravessou a sala e se plantou diante de Crispin.

– Eu disse *não* – ela repetiu. E o encarou com um olhar digno de uma mulher que nascera para o papel de duquesa. – O que acha que está fazendo? – ela repreendeu, colocando as mãos nos quadris, o movimento sutil acentuando a curva de sua cintura, embotando a mente e roubando as palavras de Crispin.

Plantada como estava diante do fogo, o brilho suave perpassava o tecido de sua camisola e, através do algodão fino, ele podia ver o contorno difuso de suas formas.

Elizabeth arrancou o livro que ele tinha em mãos e não se demorou para também tomar todos os demais.

– O fogo está se apagando! – murmurou para si mesma, balançando a cabeça indignada. Arrancou o último exemplar das mãos de Crispin resmungando enfaticamente. Crispin cruzou os braços.

– Você não estava dormindo?

Ela arregalou os olhos tal qual uma coruja e abraçou a pilha de livros num gesto de proteção.

– Você se entrega muito fácil, meu amor – ele deu uma piscadinha.

Elizabeth ficou boquiaberta de irritação e, jogando os cachos molhados para trás, passou por ele.

– Você é insuportável! – murmurou, retornando ao baú. Abaixando-se desajeitadamente, ela reorganizou os cobiçados volumes com capa de couro com tanta ternura que Crispin até fez uma careta.

Quem diria que um homem poderia sentir inveja de um bendito livro?! Fingindo desinteresse, Crispin apoiou um cotovelo na cornija da lareira.

– Você estava acordada – ele disse baixinho, um lembrete de que no momento em que entrou no quarto, ela estava tão atenta à presença dele quanto ele à dela.

Elizabeth espiou furtivamente todos os seus movimentos. Teria sido movida por simples curiosidade? Ou por algo... a mais?

Houve uma pequena pausa antes de Elizabeth devolver o último volume em seu baú.

– Eu não consegui dormir.

O que explicaria sua inquietação? Seria ele o motivo? Nem bem aventou essa possibilidade e já tratou de descartá-la. Que papel de idiota estava fazendo desejando tanto que isso fosse verdade.

Com as mãos em ambas as laterais, Elizabeth já estava fechando a tampa do baú.

– Você esqueceu um – ele disse solenemente, interrompendo seus esforços por um instante. Crispin afastou-se da lareira e atravessou a sala.

Ela o encarou, cheia de cautela. Ele parou diante da cama que fora abandonada às pressas. Sem tirar os olhos dela, Crispin levantou o travesseiro. Ali jazia o pequeno livro infantil, a capa vermelha desbotada vividamente brilhante contra os lençóis brancos.

Elizabeth enrolava os dedos nervosos na sua camisola.

Crispin resgatou o livro da cama e olhou para a familiar capa que contemplara em incontáveis ocasiões ao longo dos anos, apenas para se sentir mais perto dela. Consciente da encadernação gasta, abriu o livrinho com cuidado.

– Nada a dizer? – ele abriu na página interna onde o nome dela havia sido preservado na sua caligrafia de criança, com o dele embaixo.

– Você o guardou – ela sussurrou.

– *Não estou cuspindo na sua mão, Crispin. Nem cortando a palma da minha mão para sangrar. Aqui, fique com meu livro...*

Ele a encarou bem no fundo dos olhos.

– Você achou que isso não era importante para mim? – Foi um presente dela. O primeiro que ela lhe deu. – *Você* era importante para mim! – E ela foi embora sem pedir licença.

Essa declaração sugou o ar da sala e desnudou as palavras que precisavam ter sido ditas há anos.

Deixando o livro de lado, ele deu um passo em sua direção.

– E você abandonou – *a mim* – nossa amizade – ele substituiu – para trabalhar naquele lugar. Você merecia mais do que aquilo, Elizabeth! – Como odiava que ela tivesse feito tal escolha.

– Você vai desdenhar a vida que eu construí para mim? – ela exigiu. – O trabalho que eu fiz?

– Vou – ele disse automaticamente, sem inflexão. Virando-se, avançou até a mesa de cabeceira e agarrou a pilha de livros arrumada com esmero. *A arte de dançar com decoro para debutantes*? Ele atirou o pequeno volume de couro para longe.

– Pare com isso! – ela se impôs, aproximando-se. – Eu não vou ter essa discussão com você. Não de novo.

– Nós nunca tivemos uma discussão – ele continuou implacável. – *Reverenciando a Rainha... e outras expressões cerimoniais para saudar a nobreza e a aristocracia.* – Ele jogou o livro perto da mesa e estava prestes a jogar longe o último livro quando parou, estudando o título. *Regras de ouro do comportamento e do decoro...* – Crispin mostrou a capa para Elizabeth. – Esta não é a vida que você queria – ele disse suavemente, quase para si mesmo, enquanto atirava o incriminador título junto aos demais.

Ela comprimiu os lábios em uma linha dura.

– E você não nega.

– O que você quer de mim? – ela implorou, estendendo as palmas das mãos para o alto.

– Mais do que você quer para si mesma! – Queria que ela se engajasse nas atividades científicas que tanto amava e participasse de discussões com pares que apreciariam sua mente e a profundidade de seu espírito.

Elizabeth afastou-se dele, virando-se para a porta, de modo que ele via apenas o perfil de seu rosto em forma de coração. Crispin então cruzou a pequena distância que os separava e, colocando-se diante dela, roçou os nós dos dedos em seu queixo, procurando seu olhar.

– Não – ela pediu, mas, quando ele fez um carinho na sua pele sedosa, ela fechou os olhos.

Crispin, no entanto, esperara anos para dizer tudo o que estava entalado em sua garganta, palavras que mudaram quando ele descobriu seu paradeiro e como ela estava vivendo sem ele.

– Você era a única garota em Oxfordshire que vivia a vida sem arrependimentos, Elizabeth Ferguson.

Ela balançou a cabeça.

– O meu nome...

– É Ferguson – ele completou. Por mais arrependida que estivesse, eles eram e seriam marido e mulher, até que a morte os separasse. Como era possível que dois nomes soassem tão perfeitos em conjunto e, ainda assim, seus donos estivessem mais separados do que nunca? – Você era culta e instruída e não dava a mínima – ele bateu a mão na mesinha de cabeceira – para bailes e saraus! – E todos os assuntos que eram tão importantes para a mãe dele e as megeras que ela chamava de amigas. Crispin a encarou: – E você jogou tudo para o alto, nossa amizade e a vida que poderíamos ter tido... – Crispin travou a mandíbula. – Pensei que nossa amizade fosse maior que isso.

Um sorriso triste se esboçou nos lábios de Elizabeth:

– Sempre foi a questão da amizade.

– Claro que sim – ele retorquiu. – E você estragou tudo.

– Nós nunca deveríamos ter nos casado – ela sussurrou, estremecendo. E se tivesse lhe desferido uma facada não teria doído tanto.

Um calafrio percorreu a espinha de Crispin e ele se agarrou à segurança do calor da fúria.

– É tarde demais para tais arrependimentos, madame.

– De fato – Elizabeth levantou o queixo. – Assinamos nossa condenação no momento em que atravessamos Wiltshire e dissemos “sim” diante de um vigário bêbado.

A cerimônia realizada às pressas terminou tão rápido que ele nem percebeu que tinha começado oficialmente.

– Você está errada – ele rosnou. – Você nos condenou no dia em que fugiu, duquesa. Você destruiu a amizade. Não eu.

Com um nó na garganta, ela mal conseguiu articular as palavras quando falou; no entanto, dada a sintonia que sempre tivera com Elizabeth Brightly, Crispin as ouviu nitidamente.

– Foi para o seu bem, Crispin.

– Para o meu bem? – ele recuou, repetindo chocado o que ela dissera. Sem Elizabeth em sua vida? Com sua partida, a única felicidade que já conhecera lhe fora arrancada. – É *isso* o que você pensa?

– É isso o que eu sei.

Todos os indícios anteriores de fragilidade desapareceram, deixando em seu lugar uma Elizabeth retesada e orgulhosa.

É isso o que eu sei.

Os alarmes de perigo ressoaram em sua mente. Discretos, mas não o suficiente para serem ignorados. O lábio inferior de Elizabeth tremeu e ela virou o rosto, contradizendo sua atitude de indiferença.

– Por que você fugiu? – Ele esticou os braços atrás de si, flexionando os dedos, temeroso do que ouviria em resposta, mas aliviado por enfim ter dito as palavras que por tantas noites o atormentaram na solidão de seu quarto quando o resto do mundo dormia. Agora, ele as dissera para a pessoa que havia partido seu coração.

– Oh, não me venha com essa, Crispin – ela replicou calmamente. – Você tem o direito de estar amargurado e ressentido, mas não de ser desonesto. Não finja que minha partida teve alguma importância para você.

Ela deu um passo para o lado, mas ele se colocou na frente dela, bloqueando seu caminho. E num sussurro:

– Como pode dizer isso? Você era minha melhor amiga, Elizabeth. Você era minha *esposa*!

Soltando um grito de exasperação, ela ergueu as mãos.

– Eu era a esposa que você nunca quis! – A voz dela ecoou pelos aposentos, roubando a indignação de Crispin. Vários pássaros pousados no carvalho do lado de fora abandonaram seus ninhos, assustados, saindo em revoada no céu noturno.

– O quê? – Ele a encarou, tentando entender essa afirmação. Como ela poderia pensar que...?

– *Você* não me queria! – ela acusou, com a voz carregada de mágoa.

– Mas é claro que eu te queria – ele soltou uma bufada. Ela foi a única pessoa que ele realmente quis em sua vida.

Elizabeth riu, mas foi um riso estridente e desprovido de alegria. Crispin sentia os nervos à flor da pele, aquela sensação de perigo enchendo-o de inquietação.

– "Eu sei que foi um erro, meu pai" – ela jogou de volta.

Crispin perdeu o ar conforme o véu da compreensão era por fim descortinado diante de si. E, assim, o passado voltava em um turbilhão, zunindo em seus ouvidos. Sua displicência exposta diante de si como um pecado. Elizabeth, a mulher que ele culpou por todos esses anos, foi absolvida e ele revelado como culpado, merecedor de sua raiva. *Meu Deus.* Crispin passou a mão trêmula pelos cabelos.

– Está feito, meu pai. E, independentemente do que você pense ou sinta sobre ela ou nosso casamento, não será... Não pode ser desfeito.

O estômago de Crispin revirou. Tais palavras foram proferidas com o intuito de aplacar a fúria de seu pai e de seu padrinho. Jamais houve um resquício sequer de verdade oculta nelas. – Não foi o que eu quis dizer... – ele começou com voz rouca. – Eu não... – ele tentou de novo.

– "Eu sei que ela não é a noiva ideal" – Elizabeth continuou, implacável. – "Que um enlace com Lady Dorinda seria muito mais conveniente." – Crispin se encolhia a cada palavra que ela repetia, sua própria traição escancarada. Não mudaria nada tentar lhe explicar que não passavam de palavras vazias destinadas a apaziguar dois poderosos duques prestes a comer o fígado de Crispin por sua decisão. Só deixaria mais evidente o covarde que ele era, tentando a todo custo ficar bem com todo mundo, inclusive ao custo de sua amizade. – "Não pode ser desfeito" – a voz de Elizabeth falhou, e ela disse num suspiro as odiadas palavras que ele proferira há muito tempo: – "Está feito".

Ele estava desolado, seus lábios se moveram, mas não conseguiu dizer nenhuma palavra.

– Eu não... eu não... – ele começou a estender a mão em direção a ela, mas desistiu. – Como...? – O que poderia dizer? Que só estava tentando preservar a paz entre sua família e o Duque de Hardwicke? Nada nunca fora mais importante do que ela, mas Crispin permitiu que Elizabeth acreditasse nisso.

– Eu ouvi tudo o que você disse – ela admitiu, cansada, envolvendo a si mesma em um abraço solitário. – Portanto, não finja que você queria – ela gesticulou com a mão entre eles – *isso*. Ou qualquer outra coisa, Vossa Graça.

– Eu queria – Crispin sussurrou, afundando na beira da cama. O colchão irregular grunhiu sob o peso de seu corpo.

Todos esses anos, ele a culpou. Ele a desejou. Só para descobrir, no fim das contas, que sua própria covardia e estupidez lhe custaram o futuro pelo qual ansiava desesperadamente ao lado dela.

Porque sempre tinha sido ela, e somente ela.

Olhando para sua expressão mortificada e o rosto lívido, Elizabeth quase acreditou na mentira.

Quase acreditou que Crispin sentia falta dela e queria um futuro ao seu lado. E decerto teria acreditado se não tivesse ouvido a discussão entre ele e o pai.

Passado o calor da briga, Elizabeth também afundou no colchão ao lado dele. Puxou os joelhos para junto de si e os abraçou, sentindo a pele queimar com a intensidade penetrante do olhar de Crispin.

Pousou a bochecha sobre os joelhos. Não pensava naquela fatídica noite há muito tempo. Não se permitia.

– O que eu disse a meu pai, Elizabeth... – ele começou, quase sem voz. – Eu não quis dizer nada daquilo. Não era o que eu sentia.

– E mesmo assim você disse, Crispin. – Elizabeth o encarou, sustentando seu olhar. Como uma jovem que partira sozinha, tinha o coração cheio de ressentimento. Mas agora, como mulher adulta, a rejeição ainda doía, mas não podia responsabilizá-lo pelo que ele sentia... ou melhor, pelo que não sentia por ela. – Em toda afirmação, sempre há um fundo de verdade – disse ela gentilmente.

– Mas não era verdade – ele insistiu, cada vez mais encolhido. Elizabeth deu um sorriso triste.

– Você mudou muito. – Ele se enrijeceu diante daquela mudança inesperada no rumo da conversa, e a dúvida raiou em seus olhos. – Seu cabelo... – ela afagou brevemente os cachos em que uma vez tinha passado a tesoura em uma de suas travessuras de crianças – ...está mais comprido. Sua estrutura... – seu olhar desceu pelo torso desnudo, os ombros largos, a suave penugem de pelos escuros sobre seu peito musculoso. Ela engoliu em seco. – ...está diferente. Você é um conquistador. – Com legiões de amantes por toda Londres. Seu tolo coração teve um espasmo. – E, ainda assim, você não mudou nada em vários sentidos. – Para que ele não percebesse o quanto lhe custava verbalizar tal admissão, Elizabeth olhou para o baú de Crispin. – O teor das suas leituras ainda é o mesmo. E a maneira como organiza minuciosamente seus artigos por cor, e o modo como coloca os livros em cima dos artigos para que eles fiquem mais bem protegidos, os livros que sempre foram seus bens mais valiosos.

Eles trocaram um sorriso melancólico. Pois, a despeito do que quer que tivesse acontecido, suas almas sempre marchariam no mesmo compasso.

– Você sempre procurou agradar e proteger... todo mundo. E não falo isso como um insulto, mas como simples constatação – ela se apressou em esclarecer ao ver como ele tinha se contraído. Elizabeth não era tão mesquinha e vingativa a ponto de deixar suas próprias mágoas superarem tudo de bom que ele fez e tentou fazer. – Você não queria desagradar seu pai... – Embora essa tenha sido uma consequência inevitável de desposar Elizabeth, em vez da irretocável Lady Dorinda. E o quanto ele não deve ter sofrido por transformar um aliado de sua família em inimigo? Por sua decisão ter causado tanto desgosto a seu pai? Elizabeth pegou a mão de Crispin. – E você não queria se casar comigo... – Ele começou a protestar, mas ela pressionou as pontas dos dedos em seus lábios, silenciando-o. – Você tentou me proteger. Você é assim. E é como você age – Elizabeth respirou fundo, pela primeira vez assumindo total responsabilidade por aquele dia. – Eu sabia disso e me casei com você mesmo assim. – E foi por isso que aceitou voltar agora, como ele pediu, e entrar em um mundo ao qual nunca pertenceria.

Crispin colocou-se de joelhos para poder olhar melhor nos olhos dela.

– Eu me casei com você porque *eu queria*.

– Você se casou comigo para evitar um enlace que não queria com Lady Dorinda – ela o lembrou com gentileza.

Ele contraiu a mandíbula. Ele poderia – eles poderiam – ter revirado essa lembrança em suas mentes ao longo dos anos, mas não importava mais como interpretassem ou distorcessem os fatos, o passado não podia ser alterado.

– Eu ouvi tudo, Crispin. – A mãe dele estava exultante ao conduzi-la ao andar de baixo. O tempo todo, ela sabia exatamente o que Elizabeth ouviria quando chegassem ao lado de fora da porta.

– Minha mãe te disse algo? – ele perguntou, num fio de voz.

– Foram suas palavras – ela assinalou, com a respiração entrecortada, desviando o olhar arrasado. Ele merecia a verdade. – Ela queria que eu fosse embora e tinha a esperança de que seu pai encontrasse um meio de dissolver nosso casamento. – Dadas as concessões que Crispin sempre fizera ao pai, a velha duquesa sabia que teria sido uma resolução que o filho aceitaria com prazer. – Mas se eu ficasse no meio do caminho... –

Elizabeth fitou os pés descalços. No fim das contas, bastou simplesmente dizer que ela passara alguns dias na propriedade do duque após a morte de seus pais. Afinal, os dois homens sempre tinham sido grandes amigos.

Crispin explodiu numa série de impropérios obscenos e virulentos que queimaram os ouvidos de Elizabeth. Outra mudança. Ele nunca foi de dizer palavras de baixo calão.

– O que ela disse?

Claro que ele era esperto demais. Sabia que não tinha sido só isso. Permaneceu em silêncio diante da pergunta, lutando consigo mesma, avaliando que bem poderia advir se ele soubesse de tudo.

– Elizabeth! – Crispin insistiu com veemência.

Ela já causara alvoroço demais, mas, mesmo assim, ele tinha direito à verdade:

– Seu pai ameaçou encerrar seus estudos em Oxford se eu não concordasse com uma anulação.

A confissão encheu a sala de um silêncio pesado.

– O quê? – ele perguntou enfim, com a voz tão vazia quanto seu olhar.

Considerada uma indulgência, não muito diferente da apreciação de um jovem por cavalos e festejos, o falecido Duque de Huntington não anteviu que, para Crispin, a sede de aprender era uma força motriz. Nunca fora mera distração ou busca na qual seu interesse um dia desapareceria.

– Eles precisavam que eu fosse embora o mais rápido possível, para que pudessem iniciar o processo de anulação... – ela fechou os olhos por um momento. – Só que não havia um guardião legal. – Elizabeth e Crispin sabiam muito bem disso. Foi o que lhes permitiu se casarem mesmo sem uma autorização para Elizabeth, na época com 17 anos.

– Eles sabiam que você estava – ele disse, cada sílaba estendida por horror, fúria e choque – na escola da Sra. Belden?

– Dissolver um casamento, ao que parece, é um desafio até para um duque todo-poderoso. Quando isso ficou aparente... – Ela não completou a frase, relembrando a visita inesperada. A carruagem ducal. O brasão dourado nela.

E a centelha de esperança sobre quem sairia daquele veículo sendo esmagada por uma decepção incapacitante.

O rosto de Crispin se contorceu em uma máscara devastada que apertou o coração de Elizabeth.

– Por isso você foi embora – disse ele, a voz dura, o rosto pálido. – Para me proteger.

Elizabeth forçou um aceno de cabeça, mal conseguindo conter as próprias emoções.

– Era o mínimo que eu podia fazer depois do sacrifício que você tinha feito por mim. Você me deu seu nome, sua mão, sua proteção. Eu não podia ficar também com a sua felicidade.

– Eles não tinham o direito de interferir assim na minha vida. – Crispin pressionou as palmas das mãos no rosto.

O que Crispin deveria estar sentindo ao descobrir que sua vida fora manipulada por seus progenitores? Os pais dela sempre a apoiaram. Nunca se incomodaram com as esquisitices intelectuais da filha. Nunca houve condições impostas à aceitação e ao amor que dedicavam a ela. Mas, também, eles não tinham sangue nobre correndo nas veias. Quem poderia garantir o que teriam feito ou o que teriam se tornado se as circunstâncias fossem diferentes?

– Essa decisão não cabia a você. – A fúria ardia nos olhos de Crispin.

A acusação a pegou de surpresa.

– Eu fiz isso por...

– Por mim – ele resmungou, levantando-se. – Você tomou uma decisão por nós dois, sem nenhuma discussão. Eu era o seu marido! – Elizabeth recostou-se, desconcertada com a volatilidade das emoções de Crispin. – Mas, acima de tudo, você era minha amiga, e nunca me perguntou o que eu queria.

– Eu *ouvi* o que você queria. – Ela ergueu os ombros, trazendo-os de volta. – Aliás, eu ouvi o que você não queria! – *Eu*.

As acusações pairavam entre os dois, pulsando com uma força quase vital.

As bochechas de Crispin perderam a cor.

– Aquilo nunca foi verdade – ele sussurrou.

E, no entanto, tinha sido dito.

Elizabeth pressionou a ponta dos dedos nas têmporas e as esfregou. Eles podiam ficar ali andando em círculos debatendo cada decisão, palavra, ação ou inação, e nada mudaria. Arrependimentos não mudariam o passado. Soltando os braços, ela balançou as pernas sobre a beira da cama.

– Crispin – disse com gentileza. – Você nunca me prometeu nada além de um casamento de conveniência. Libertação para nós dois de um futuro incerto. – O dela, no caso, que teria sido precário. O dele já estava traçado e definido. Elizabeth se abraçou. – Seria errado da minha parte esperar algo a mais... – E então... ela não esperou. Em vez disso, foi embora.

Com o olhar vazio, Crispin cambaleou até a entrada do quarto. Parou diante da porta, com os dedos na maçaneta. Elizabeth apenas o observou, querendo pedir que ele ficasse, querendo retomar a amizade fácil que haviam compartilhado. Mas não se pode voltar no tempo para desfazer arrependimentos e mágoa. Ele olhou para trás:

– Eu não tive a intenção de te magoar. Eu cortaria meu próprio braço antes de causar qualquer sofrimento a você.

– Eu sei – ela engoliu em seco. Sua voz suave até para seus próprios ouvidos.

Seu olhar ardente a queimava e, por um momento, pensou que Crispin diria algo a mais... sobre ela... sobre eles, juntos.

Mas então ele saiu, sem mais uma palavra.

Capítulo 11

Na manhã seguinte, Crispin estava sentado a uma mesa no canto da taverna cada vez mais lotada. Virou os ombros. Seu corpo inteiro doía de vários dias cavalgando sem parar. E, é claro, por causa da noite em claro que passara no chão duro após retornar ao quarto que dividira com Elizabeth.

Embora, para ser honesto, havia pouca indicação de que ela tivera algum repouso na noite anterior.

Como poderiam?

Com uma caneca de café entre os dedos, Crispin olhou ao redor do estabelecimento até se concentrar no fogo ardendo na lareira. À sua volta, risadas ecoavam pelo teto rachado enquanto os fregueses levantavam a voz, um acima do outro, competindo para serem ouvidos em meio à balbúrdia. A animada descontração do lugar contrastava com a agonia que Elizabeth havia desencadeado na noite anterior.

A noção de tempo fora suspensa, borrada sob o peso da percepção.

Ela ouvira as palavras que ele proferira há tanto tempo para o tempestuoso Duque de Huntington.

As palavras meticulosamente articuladas – cuja intenção era aplacar um pai aborrecido para que Crispin pudesse seguir seus estudos e começar uma vida como marido e mulher com Elizabeth com menos obstáculos – foram ouvidas... por ela.

Tomou um longo gole de café, o líquido quente, amargo, ferindo sua garganta em um desagradável cumprimento.

Foram palavras forjadas na covardia quando ele deveria ter mandado os pais ao inferno se não estavam contentes com sua decisão. Mas, como sempre, tentou minimizar conflitos e manter a paz. Só que naquela ocasião isso estilhaçou o vínculo especial que ele e Elizabeth compartilhavam e a levou a fugir.

Todos esses anos, foi atormentado pelo ressentimento e pela dúvida. Perguntas e mais perguntas, todas sem respostas, todas culminando na traição inexplicável de Elizabeth.

Crispin girou a caneca, examinando o giro ciclônico provocado no restante de café. Agora tudo fazia sentido. Até demais. Uma situação outrora turva estava agora esclarecida, transparente e cristalina, e Crispin emergia como o único verdadeiro culpado de traição.

Frustração transbordava no seu peito, ele engoliu o café de uma só vez.

Com certeza ela sabia que ele não se arrependera de verdade de desposá-la. Eles sempre foram o par perfeito um para o outro, completando um ao outro, despertando o que cada um tinha de melhor, enquanto desfrutavam de risadas e alegria.

Ele só percebeu o quanto não dera valor a essa felicidade quando ela se foi e levou consigo todas as suas razões para sorrir.

Como seguiriam em frente agora? Juntos... ou cada um por si, sozinhos?

Ela não quer mais nada com você, de todo modo. O desdém dela era *tão* forte que preferia viver na escola da Sra. Belden, dando aulas sobre assuntos que sempre desprezara.

E por que deveria? Ela tinha se casado com um covarde abominável.

A vergonha lhe corroía as entranhas.

Pouco importava que ele tivesse acabado de completar 21 anos quando se casaram. Ele não era um menino, mas um homem que poderia ter enfrentado os pais contra a união que eles queriam lhe arranjar com Lady Dorinda. E, no fim das contas, o acordo mutuamente benéfico que propusera à Elizabeth de então 17 anos originara-se de uma vontade real de tê-la como esposa.

Queria um "para sempre" com ela, pois nunca houve ninguém cuja companhia ele mais desejou.

Elizabeth, todavia, nunca expressara nenhum sentimento romântico por ele, então Crispin apelou à lógica. E, na noite passada, quando lhe revelou a verdade sobre as maquinações de seus pais, ele quis lhe contar tudo. Quis lhe dizer que ela sempre fora a dona de seu coração, mas tal confissão naquele momento teria soado oca e falsa. Não, ela não teria razão para acreditar em uma frase sequer que saísse de seus lábios.

Uma sombra se projetou sobre a mesa e ele levantou o olhar. Brambly abaixou a cabeça:

– Os baús já foram carregados na carruagem, Vossa Graça.

– Obrigado, Brambly – Crispim agradeceu, olhando de relance para as escadas. O criado acenou com a cabeça e se retirou.

Em breve, eles partiriam para completar a jornada rumo ao início do fim de seu relacionamento.

Tal constatação lhe fez sentir um vazio. *Não, você se sente vazio desde que ela fugiu.*

Crispin voltava a se concentrar em sua caneca quando uma figura singular no canto da taverna chamou sua atenção. Cabeça baixa sobre um livro, a criança não poderia ter mais do que 12 anos. Com cachos vermelhos cortados irregularmente na altura da nuca, um par de óculos grandes e redondos equilibrados no nariz, o menino lhe fez visualizar o filho que ele e Elizabeth poderiam ter tido. Um garoto ou uma menina vários anos mais novo, mas não menos dedicado aos livros e aos estudos.

Uma criança que não existiria.

Mas ele ou ela poderiam...

O pensamento feiticeiro ficou sussurrando em sua mente, e Crispin se agarrou a ele, acarinhando a possibilidade. Por que não poderiam começar de novo? Com o passado agora exposto entre eles e os segredos revelados, eles podiam renovar a amizade que outrora cultivaram e começarem do zero como marido e mulher.

Elizabeth havia fugido para salvá-lo. Ela tinha dito que fizera isso pela amizade deles, sem dar nenhum indício de que havia algo a mais. Nem mesmo na noite passada. Mas o beijo dela deu a entender que havia.

– Ora, seu cabeça-oca! – O grito ecoou mais alto que o burburinho da taverna e tirou Crispin de seus devaneios. Procurando, ele achou o taverneiro pairando sobre o menino estudioso. – Já chega desses livros. – Ele ergueu a mão e deu um tapa na cabeça do garoto.

Furioso, Crispin se levantou.

– Ei, você aí! – ele rosnou.

O salão ficou em silêncio absoluto e várias criadas recuaram, concedendo ampla passagem a Crispin. Confuso, o taverneiro olhou ao redor. O menino magrelo estava atrás dele, de cabeça baixa.

– O que significa isso? – Crispin demandou, parando diante dos dois.

O proprietário careca deu um empurrão no menino. Seu rosto estava desprovido de cor, mas ele logo se recobrou:

– Nada com que se preocupar, milorde – ele garantiu, direcionando então seu aborrecimento à criança: – Saia já daqui – ele grunhiu, tomando o livro. As páginas amareladas, a capa de couro e a encadernação gasta, o livro fora bastante usado e mostrava sua idade. – Não tolero desocupados à toa – ele bateu na cabeça do menino com o livro.

A visão de Crispin ficou turva de raiva. Com os ombros encolhidos, a criança saiu cambaleando em sua direção.

– Já basta – Crispin ordenou num sussurro gélido. O pomo de adão do taverneiro balançou como num soluço.

Amparando gentilmente o menino pelo ombro pequeno e franzino, Crispin o fez parar.

– É assim que você trata seu filho? – Crispin confrontou o taverneiro.

– E-ele não-não é meu menino, m-milorde – o homem gaguejou. Tirando o capuz, ele o passou pela fronte suada. – Ele é sobrinho da minha mulher. Nós o acolhemos. É uma boca a mais para alimentar, e tem que fazer a parte dele. Todo mundo que quer uma cama e um teto para morar tem que fazer. Ele não vai ter uma...

Crispin levantou sua mão, interrompendo no ato as digressões do outro homem. Dirigiu toda a sua atenção ao garoto, reconhecendo, de perto, que sua avaliação anterior não fora precisa. Havia uma suave penugem sobre o seu lábio superior, indicando que ele estava nas raias da puberdade.

– Olhe para o milorde – o taverneiro latiu.

Crispin fulminou o homem com o olhar e ele recuou. Encolhendo os ombros, a criança ergueu os olhos.

Cansados. Envergonhados. Medrosos.

Como tinham sido os olhos de Crispin... há muito tempo.

– Você é o filho de um duque, não é? Se é tão poderoso assim, isso não vai doer.

Crispin sentiu um aperto no âmago ao rememorar a dor que sentiu quando os punhos que o acertaram drenaram o ar de seus pulmões. Ele ficou chorando num canto quando todos os demais em Eton dormiam. Com saudade de casa. De sua família. De Elizabeth.

– Como você se chama? – ele perguntou baixinho.

– Neville Barlow, Vossa Graça.

– Um duque? – o taverneiro arregalou tanto os olhos que eles quase ultrapassaram sua testa, então abriu os braços e fez uma reverência mais apropriada para um rei.

Ignorando-o, Crispin focou nas últimas palavras de Neville

– Por que você deduziu que eu sou um duque? – Ao contrário de sua mãe, que insistia em ostentar o título em suas viagens, Crispin sempre preferiu o anonimato assegurado por um simples "lorde" a toda pompa e circunstância com que cada movimento de um duque era recebido. Neville encolheu os ombros.

– Seu cocheiro, Vossa Graça, dirigiu-se ao senhor dessa forma mais cedo.

O garoto era esperto e perceptivo... e seu espírito e sua alma seriam estraçalhados como o de Crispin fora em Eton se ele continuasse ali com o tio.

– Devolva o livro ao Sr. Barlow – dirigiu-se ao taverneiro sem nem olhar para ele. Quando o livro passou às mãos do menino, Crispin pediu: – Posso?

Neville hesitou e então o entregou. Crispin examinou o título em letras douradas.

– *A prática corrente dos juízes de paz e uma biblioteca paroquial completa* – o garoto murmurou, com a voz embargada.

– Vossa Graça sabe ler – o taverneiro o reprimiu.

– Você já pode ser retirar – Crispin rebateu.

Neville virou-se para sair.

– Eu estava falando com seu tio.

As bochechas do taverneiro ficaram muito vermelhas. Então, com uma reverência, ele se distanciou. Livres do outro homem, Crispin levantou o livro:

– Você se interessa por leis?

– Meu pai era advogado – ele explicou, num fio de voz.

– Então o livro pertencia a ele – Crispin afirmou, sentando-se na beirada de uma mesa e examinando o volume com capa marrom de couro.

– Ele insistia para que eu o lesse – Neville se balançou nos calcanhares.

– E é isso o que você está fazendo agora? – folheou o livro com cuidado. – Está lendo porque era o que o seu pai esperava que fizesse? *Ou* porque você realmente gosta desse tópico?

Tal questão podia servir de base para a própria existência de Crispin, que se dividia entre sua eventual ascensão ao título de Huntington... e todo o resto. Elizabeth se enquadrava na famigerada segunda categoria, quando ela merecia muito mais... incluindo um marido que a tivesse valorizado e lutado por ela, se necessário, de maneiras que Crispin não fora capaz.

– A segunda opção, Vossa Graça – Neville respondeu.

– E tem alguma especialidade que prefere? – ele prosseguiu, devolvendo o livro. O garoto endireitou os ombros e, pela primeira vez, desde que o vira no canto da taverna, seus olhos faiscaram, revelando mais do que a miséria de antes.

– Eu gosto de todas as áreas. Direito penal. Direito público. Mas prefiro lei fundiária – ele se calou, levemente ruborizado.

Que belo paspalho você é. Nascido para herdar um ducado, mas prefere ficar aí lendo em vez de se divertir de verdade.

Crispin fitou a cabeça abaixada da criança.

Esse era eu. Eu era Neville. Condicionado a se envergonhar de seus interesses acadêmicos. Sua mãe sempre lamentara seu pendor para a pesquisa. Seu pai o tolerava. Somente Elizabeth compreendia de verdade os interesses de Crispin – e se comprazia com eles.

– Não há vergonha alguma em ter interesses acadêmicos – Crispin repetiu a declaração com que, anos atrás, Elizabeth repreendera dois valentões que implicavam com ela por ser estudiosa. Elizabeth, que sempre fora mais valente e honrada do que ele, que o ensinou a encontrar orgulho e poder em seu amor pelo conhecimento. – Você gostaria de seguir a carreira de advogado?

– Eu tinha o sonho de seguir os passos do meu pai, Vossa Graça – o menino disse automaticamente.

– Não estou falando em hipóteses – Crispin sorriu – Meu advogado está ficando velho. – O idoso Chadwick servira o duque anterior e desposara apenas a profissão, mas o fiel servidor ainda trabalharia por pelo menos mais uma década antes de aposentar a pena. – Se estiver interessado em seguir carreira como advogado, tomarei as providências para que se torne seu aprendiz. E depois você pode ir para Oxford se for o que desejar.

O menino ficou boquiaberto.

– Está debochando de mim, Vossa Graça? – ele sussurrou.

Crispin sorriu. Esquecera-se de mencionar que senso de comicidade era um atributo que lhe faltava.

– Se quiser o posto... – deu um tapinha nas costas do menino – ...é seu. Se não quiser...

– Eu quero – o garoto grasnou. – Eu quero, sim. Eu quero o posto.

– Arrume suas coisas. Partiremos em breve.

Como se temesse que Crispin mudasse de ideia e retirasse a oferta que tinha acabado de fazer, Neville saiu como um raio, esbarrando em vários fregueses, que gritaram com ele. Neville então parou e, ligeiramente sem fôlego, correu de volta:

– Perdoe-me, Vossa Graça – ele disse, fazendo uma grande mesura.

– Não há necessidade disso. Vá buscar seus pertences.

Com um grande sorriso, Neville saiu em disparada uma vez mais, com a mesma velocidade e determinação de Crispin quando se viu livre dos infernos de Eton.

Virou-se e seu olhar encontrou a figura delgada a vários passos de distância. E, como sempre acontecia quando ela estava por perto, o mundo todo derreteu até que só restassem os dois.

Só que, à luz das últimas revelações e ao contrário do passado, quando as palavras fluíam livremente, Crispin se viu sem... nada a dizer. Sem desculpas apropriadas, nem palavras, nem sequer pensamentos coerentes.

Juntando-se a ela, cumprimentou-a sem jeito:

– Bom dia. Você...

– Eu ouvi o que você fez por aquela criança – ela soltou.

Crispin ficou ruborizado, exatamente como ficava quando tinha 9 anos e ela o derrotava nas disputas de pega-varetas. Ela o enervara. Essa, no entanto, não fora sua intenção. Ele veio ao socorro do menino. Não, não só concedera sua assistência ducal como oferecera um futuro àquela criança.

– Não fiz nada. – Ajustando o nó do peitilho da camisa, Crispin dirigiu-se para a porta, com Elizabeth em seu encalço, recusando-se a encerrar o assunto:

– Por que fez aquilo?

– Agora você me acha um ogro? – ele a interpelou com secura, abrindo a porta. Os tépidos raios de sol se infiltraram na taverna.

– Claro que não – Elizabeth não se abalou. Inclinou a cabeça, estudando-o do mesmo jeito que certa vez se debruçara sobre a borboleta albina que revoara vários dias nos jardins da mãe dela. – Mas duques não saem por aí oferecendo aprendizados e estudos em Oxford a desconhecidos.

Um freguês que queria entrar, obrigou-os a liberar a passagem. Elizabeth saiu e, antes de segui-la, Crispin segurou a porta para o cliente que chegava.

– Então quer dizer que você conhece muitos duques?

– Conheço a filha de um duque – Uma brisa suave soprou, balançando a barra de sua saia e revelando seus tornozelos. – E, por extensão, o pai dela. – O Duque de Ravenscourt deixara a coitada da filha mofando na escola da Sra. Belden. E, segundo os rumores não tão discretos que circulavam pelos corredores, o distinto duque havia povoado Londres inteira com seus bastardos. – Também tive interações suficientes com homens nobres ao longo dos anos para saber que eles simplesmente não agem sem esperar algo em troca.

Elizabeth percebeu que ele ficou calado demais e tentou enxergar seu semblante. Ao notar a expressão gélida em sua fisionomia, um arrepio frio lhe percorreu a espinha.

– Alguém... te machucou de alguma forma? – Havia uma entonação assassina na pergunta, que prometia morte a quem quer que tivesse.

Só então ela assimilou a implicação da pergunta de Crispin.

– Não – apressou-se em responder, com as bochechas queimando. Dentre todas as preocupações com as quais teve de lidar nos anos em que batalhou para garantir seu sustento, rechaçar avanços indesejados, felizmente, não foi uma delas.

Os ombros largos de Crispin relaxaram um pouco. Eles alcançaram a portão e Elizabeth parou:

– Você não respondeu minha pergunta – ela ressaltou, segurando sua mão.

Crispin deixou o braço cair de volta para o lado.

– Às vezes, as pessoas precisam de ajuda. É importante oferecer quando você pode e aceitá-la quando precisa.

Ela teria de ser surda como um poste para não perceber a recriminação. Elizabeth fez uma careta.

– Nunca fui orgulhosa a ponto de não aceitar assistência – O casamento deles era prova suficiente disso.

– Não me referi a você, Elizabeth. – Um sorriso brincou em seus lábios. Crispin abriu o portão e esperou ela passar antes de fechá-lo. Enquanto seguiam até a carruagem, ele manteve o olhar fixo no reluzente veículo preto. – Meus anos em Eton não foram dos melhores – ele relatou como um conferencista apresentando dados e não como um homem falando das experiências que o haviam moldado. – Tive de aturar zombarias, agressões e comentários regulares por causa de meus interesses por atividades acadêmicas.

Por vontade própria, os pés de Elizabeth pararam lentamente.

– O quê? – ela sussurrou enquanto ele continuava em direção à carruagem.

Momentos atrás, ele não a menosprezava, mas a si próprio. Estava falando *de suas próprias experiências*.

Crispin continuou andando e então se virou. Puxou as luvas de couro marrom do casaco e começou a vesti-las.

– Meu pai depositou tantas esperanças na minha formação em Eton e depois em Oxford. Acima de tudo, não queria decepcioná-lo. – Afinal ele sempre se esforçou para agradar a todos... Um feito impossível que, até então, provavelmente ainda não conseguira realizar. – Um dos meus instrutores tomou a liberdade de escrever ao duque para compartilhar a minha – seus lábios se contraíram – experiência. O duque em pessoa foi me buscar e me levou embora.

E Crispin nunca mais retornou.

Todos esses anos, ela o imaginara como alguém extraordinário em todos os aspectos. O sol haveria de nascer e se pôr ao bel-prazer de Crispin Ferguson. Como tal, jamais teria contemplado um mundo em que não fosse reverenciado pela mente brilhante e pelo amigo gentil que era.

– Oh, Crispin – ela conseguiu articular, com o coração dolorido. Ele sustentou o olhar dela.

– Meu pai errou ao não aceitar nosso casamento, mas não foi um fracasso completo como pai. – O incidente também destacou uma razão maior para sua devoção ao falecido duque.

Qualquer outro nobre teria deixado o filho sofrer com os horrores de sua formação, um ritual de passagem para todos os futuros nobres. Afinal, quantas moças foram enviadas para a Sra. Belden para que seus espíritos e suas almas fossem destruídos, com a bênção e a permissão das famílias?

Ela enfiou as mãos dentro dos bolsos da capa para esconder o leve tremor.

– Por que não me contou? – Como amiga, deveria saber.

– E o que eu contaria? – Ele arqueou uma sobrancelha negra. – Que eu era um garoto assustado e intimidado que fugiu de Eton porque estava cansado de ser espancado dia após dia?

Ela sentiu um pesar profundo. Porque, por mais que o conhecesse em tantos sentidos, havia tanto dele que não sabia.

– Você pensou que eu te acharia menos valoroso de alguma forma?

Crispin cruzou as mãos atrás das costas e olhou para a cadeia de montanhas ao longe.

– Foi o suficiente para eu me achar sem valor, Elizabeth – ele murmurou.

Ela olhou para ele. De costas, ele parecia uma figura imóvel e orgulhosa. E ela foi tomada pela vergonha. Quando criança, era alvo de comentários maldosos e chacotas em Oxfordshire por ser esquisita. Seu mundo era pequeno e, nunca tendo posto os pés fora dele, não tinha ideia de que a vida de Crispin, reverenciado na vila como o herdeiro do ducado, poderia ter sido diferente do que ela havia presumido. Nunca poderia imaginar que ele também seria ridicularizado por aquilo que o diferenciava.

– Eu não sabia – ela assumiu a triste verdade em voz alta.

– Não – ele suspirou. – E nem teria como saber. Eu não queria que você visse esse lado.

– Mas eu queria... – Elizabeth deu um passo vacilante em direção a ele. – Você era meu melhor amigo.

Ele permanecia um mistério. *E eu quero todas as histórias dele. Quero seus segredos e seus sofrimentos, e...*

O chão se abriu aos seus pés.

Eu o amo.

Elizabeth o amou primeiro como amigo e agora, todos esses anos depois, como o garoto intelectual que se transformara em homem. Um homem que queria que ela seguisse seus estudos como sempre tinha feito, e ainda, apesar do título de duque, que não se importava com bailes ou saraus e os achava tão tediosos quanto ela.

Crispin deu de ombros.

– Não tem mais importância. – Eles ouviram uma porta batendo nas proximidades e então viram o garotinho correndo na direção deles. – E se eu puder evitar que alguém se sinta como eu me senti, então assim eu o farei.

O menino parou com uma leve derrapada, o peito arfando da corrida.

– Neville – Crispin disse. – Permita-me apresentar-lhe Sua Graça, a Duquesa de Huntington.

– Vossa Graça – Neville ofegou, fazendo uma reverência.

Elizabeth sorriu gentilmente ao menino de óculos e cabelos ruivos e encaracolados.

– Estou muito feliz que você nos acompanhará até Londres.

Nos.

O som daquela palavra era tão correto. E, mesmo assim, com o passado exposto e todos os segredos revelados, não houve menção de... nada a mais. Seu sorriso estava congelado em seu rosto, contraindo os músculos de suas bochechas.

Enquanto Neville subia, acomodando-se ao lado do cocheiro, Elizabeth entrava na carruagem. Crispin estava fechando a porta quando ela ergueu a mão.

– Você não vem... comigo? – perguntou, de pronto arrependida. Suas bochechas queimavam. – Quero dizer... – pigarreou, acrescentando pifiamente: – Sua montaria? Creio que a jornada ainda seria penosa para ele.

– De fato – Crispin esquadrinhava cada centímetro de seu rosto com o olhar. – Mas tenho vários cavalos em estábulos ao longo da rota.

Só então ela percebeu o criado esperando ao lado, segurando as rédeas de um cavalo que ela não conhecia.

É claro que Crispin teria cavalos nos estábulos ao longo de todas as estradas trafegáveis. Foi fácil esquecer que ele era mais rico que Creso e ainda por cima futuro duque.

– Oh! – exclamou ao sentar-se no banco.

Ele hesitou, e ela foi para frente, esperando quaisquer que fossem as palavras em seus lábios.

– Elizabeth.

Com essa despedida, nada além de seu próprio nome, Crispin fechou a porta, roubando a luz do sol que banhava a carruagem. Ela recostou-se no confortável coxim do banco e seus olhos recaíram em uma pilha de livros no banco oposto. Umedecendo os lábios, inclinou-se para examiná-los. Seu coração acelerou.

Elizabeth pegou os livros, cuidadosamente amarrados com uma longa fita de veludo. Desamarrando o laço, desfez a pilha, encarando os volumes encadernados em couro. Sentiu que ia transbordar de emoção.

Ensaio sobre os Vedas. Um guia pelo distrito dos lagos. Conversas sobre química, uma obra anônima.

As lágrimas turvaram sua visão.

Ele deixara os livros para ela.

A carruagem se pôs em movimento e, com o tranco, ela segurou a pilha, abraçando-a ternamente junto ao peito.

Estivera tão determinada a esquecer Crispin Ferguson, o Duque de Huntington, erguera barreiras para impedir que ele a magoasse novamente, mas cada interação com ele só tornava seus esforços vãos.

Era fácil manter barreiras contra o canalha sedutor que deixara uma legião de corações partidos em Londres. Mas esse Crispin? O cavalheiro gentil, terno, cheio de consideração que deixou livros tão queridos só para ela?

Elizabeth fechou os olhos.

Ela o amava.

E sempre amaria.

Capítulo 12

Na calada da noite, chegaram a Londres.

Era o começo do fim de seu tempo com Elizabeth.

– Chegamos...

A afirmação carregada de admiração proferida por Neville tirou Crispin de suas divagações. O duque olhou de relance para o garoto que até há pouco cochilava encarapitado ao lado de seu cocheiro.

– Sim, chegamos... – E, no entanto, não havia lugar onde Crispin *menos* queria estar. Forçou um sorriso para ser gentil com o menino: – Os criados cuidarão bem de você – prometeu, ao apear de seu cavalo.

Um cavalariço acudiu para pegar-lhe as rédeas no exato momento em que as portas duplas da residência de Crispin em Mayfair eram abertas. Serviçais diligentes se enfileiraram na entrada na residência como ratos atrás das migalhas de queijo deixadas por um cozinheiro desatento. É claro que, apesar da hora, o mundo estava em alerta, antecipando as necessidades e os desejos de um duque. Tratava-se de uma adulação obsequiosa na qual sua mãe se refestelava, que o falecido duque tolerava, e Crispin aturava.

Ele gesticulou ao mais jovem dos lacaios. O criado de libré adiantou-se até Crispin, murmurando com uma reverência.

– Vossa Graça.

– Teremos um convidado esta noite – ele explicou apertando gentilmente o ombro de Neville. – Permita-me apresentar o Sr. Neville Barlow. Queira apresentar o jovem à Sra. Willoughby e peça que ela o conduza a um dos quartos de hóspedes e lhe providencie uma refeição, bem como qualquer outra coisa que ele desejar.

Se Crispin tivesse lhe entregado a fortuna de um rei, ainda assim não teria recebido um olhar tão cheio de gratidão quanto o que o menino lhe dirigiu.

– Por aqui, Sr. Barlow – o lacaio convidou e, carregando os pertences da criança, acompanhou-o para dentro.

Assim que os dois se retiraram, Crispin direcionou sua atenção aos criados se reposicionando... homens jovens lançando olhares furtivos à carruagem. Crispin seguiu tais olhares.

É claro, esta não era uma chegada qualquer. Era o retorno da Duquesa Invisível, tal qual as colunas de fofoca se referiam recentemente a Elizabeth. Decerto, todos os empregados da residência aguardavam ansiosos por um vislumbre da dama misteriosa.

O cocheiro se encaminhava para a porta da carruagem, mas Crispin o interrompeu com um aceno e assumiu a tarefa. Ao abri-la, não sabia o que esperar. Elizabeth adormecida, talvez? Pálida? Com as pálpebras pesadas de sono após um longo dia de viagem?

Tão acordada quanto se fosse o galo que anuncia a manhã, ela espiou por cima do ombro dele a estrutura de sessenta metros. Atrás das lentes redondas, seus olhos eram círculos perfeitos. Santo Pai celeste, ela tartamudeou, sem tirar os olhos da mansão enquanto ele a ajudava a desembarcar. Transformada em uma enorme mansão pela compra das propriedades adjacentes por seu falecido avô, a casa de Londres dos Huntington era uma rival à altura das mais nobres mansões do país.

E Elizabeth nunca tinha posto os olhos nela.

Eles dividiram quase tudo e cada pedacinho de si mesmos e, no entanto, este era um lembrete de que também foram divididos por suas posições sociais.

Após dar uma bela olhada, uma Elizabeth sem palavras aceitou sua mão e permitiu que ele a ajudasse a descer da carruagem. Suas pernas bambearam e Crispin disparou a mão para ampará-la, curvando os dedos na cintura fina, a sensação de tê-la assim parecia tão certa.

Elizabeth arquejou audivelmente, e umedeceu os lábios, atraindo a atenção dele para sua boca. Crispin ardeu de vontade de explorar aqueles contornos carnudos mais uma vez. De duelar com sua língua até que suas respirações se tornassem uma só.

– Crispin – ela sussurrou.

– Sim?

E por que não? Eram marido e mulher, e...

Uma carruagem passou chacoalhando pela rua, o barulho veloz das rodas quebrando o frágil momento. Crispin olhou a tempo de flagrar os passantes curiosos lhes espiando até o veículo sumir de vista. Elizabeth seguiu seu olhar.

– Venha – ele disse com firmeza, conduzindo-a.

Os passos dela, todavia, não tinham pressa. O olhar alerta assimilava cada detalhe, esquadrinhando as áreas iluminadas de Mayfair.

Crispin seguiu seu olhar. Nuvens pesadas se acumulavam no céu, eclipsando a meia-lua e embaçando as estrelas que conseguiam achar espaço entre a neblina e a poluição de Londres. Elizabeth parou e ficou observando um acendedor de lampiões que executava seu trabalho assistido por uma criança.

Crispin sempre detestara a cidade. Quando menino e também quando rapaz sempre invejara Elizabeth por poder ficar em Oxfordshire quando ele era forçado a visitar a cidade, ocasiões em que ficava só contando os dias para voltar a se reunir a ela.

– É horrível, não é?

A luz artificial se derramava pelas ruas. Ele se virou para entrar, mas Elizabeth permaneceu imóvel no pavimento, observando o robusto acendedor levantar o bastão com ponta de cobre até a arandela de vidro.

– Pelo contrário... – Crispin se deteve. – Nunca vi nada assim – ela concluiu com a voz carregada de admiração e reverência e ele esquadrinhou os arredores tentando entender o que a fascinava tanto.

– Que horas são? – ela inquiriu, animada, desviando brevemente os olhos do par que trabalhava do outro lado da rua. Crispin consultou o relógio de bolso:

– Quase cinco minutos depois da uma da manhã – E sua esposa estava alerta como se tivesse acabado de acordar, fresca e pronta para enfrentar um novo dia.

– Notável – ela murmurou e então abriu os braços enquanto o acendedor se dirigia ao próximo poste. – Eles conseguiram transformar a noite em dia. – Ela encarou Crispin, claramente esperando alguma coisa. Balançando a mão exasperada, Elizabeth saiu do lado dele e foi, quase correndo, até o próximo poste de lampião.

Os criados que aguardavam se entreolharam, inquietos.

Crispin os dispensou com um aceno de cabeça, completamente engolfado pela palpável excitação de Elizabeth. Ela esfregou a palma desnuda no poste de metal:

– Sabia que a primeira iluminação a gás foi usada na rua Pall Mall em 1812, mas eles usaram tubulação de madeira para conduzir o gás?

– Sério?

– Crispin – ela suspirou, ele meneou a cabeça.

– Tubulação de madeira – ela repetiu. – Houve inúmeras explosões e algumas mortes.

– Eis os perigos da vida metropolitana – Ele tirou o chapéu e o bateu na perna.

– Bobagem – ela riu com ironia. – Quantas vezes tivemos de nos contentar apenas com a claridade de uma vela para ler nossos livros? Ora, se ao menos tivéssemos isso... – Ela abriu os braços, os olhos cintilando de entusiasmo e, ao vê-la em um estado tão puro de alegria, Crispin sentiu algo mudar em seu peito. – O dia é mais longo e há tanto para se ver e... – ela parou de falar. – O que foi?

Assim como uma chama atrai uma mariposa, ele foi atraído até Elizabeth.

– É você.

– Eu?

– Nunca olhei por esse prisma – ele acariciou a bochecha macia como cetim. Londres sempre lhe representou uma gaiola, um lugar odiado ao qual ele era obrigado a ir por causa de seu título e posição no Parlamento. Como teria sido dividir esse lugar com ela?

– Bem, você deveria – Elizabeth sorriu, exibindo suas covinhas. – Sempre há algo de bom para se encontrar em qualquer lugar, você só precisa olhar.

Outra carruagem sacolejou pela rua.

– Está tarde – Crispin murmurou.

– Sim – E, no entanto, ali estavam eles.

Quando o amanhã chegasse, chegaria também o baile, a noite que ele solicitara a Elizabeth antes de libertá-la, antes de deixá-la enfim retornar à Sra. Belden.

Sentindo-se vazio perante tal pensamento, Crispin recolocou o chapéu. Pegando a deixa não dita, Elizabeth o acompanhou. Agora, conforme eles galgavam os degraus de calcário que conduziam à porta dupla preta, apenas Aldis, o recém-contratado mordomo, ainda os aguardava.

– Vossas Graças – ele os cumprimentou, descrevendo uma cerimoniosa reverência.

– Aldis. – E assim a realidade recaía sobre si, como sempre acontecia naquele maldito lugar. Crispin deu uma rápida conferida no vestíbulo. O vestíbulo vazio, ainda bem.

Ele cerrara os dentes com tanta força que sua mandíbula até doía. A mãe, sua obstinada e traidora mãe, não estava em parte alguma.

– Sua Graça ainda não retornou de seu compromisso noturno, Vossa Graça – informou o mordomo.

Aquele encontro aconteceria mais cedo ou mais tarde, mas, por ora, Crispin permitiu-se relaxar um pouco e concentrou-se na Sra. Willoughby, que descia as escadas.

– Boa noite, Sra. Willoughby – ele cumprimentou a rechonchuda senhora de cabelos brancos. – O Sr. Barlow...?

– Foi conduzido a seus aposentos – ela completou, com uma cortesia e um amplo sorriso, voltando-se, então, para Elizabeth. Crispin desempenhou as devidas apresentações.

– Queira mostrar à Sua Graça seus aposentos, sim? – ele pediu, sentindo o olhar de Elizabeth em si.

– Pois não, Vossa Graça – respondeu a Sra. Willoughby com sua usual amabilidade. – Queira me seguir, Vossa Graça.

Elizabeth tinha os olhos pregados nele. Encarando-o como se quisesse dizer alguma coisa. Será que queria pedir que ele fosse com ela? Será que gostaria de continuar conversando sobre Londres? O que seria?

No fim, silenciosa como nunca fora, Elizabeth acompanhou a governanta.

Crispin as observou enquanto subiam as escadas e, após contornarem o patamar, seguiram em frente pelo corredor. Quando sumiram de vista, ordenou a Aldis:

– Prepare-me uma de minhas montarias.

Se tivesse pedido que o mordomo lhe trouxesse a coroa do rei, o homem não teria ficado tão chocado. Aldis, de olhos arregalados, avaliou as vestes amarrotadas de Crispin e, inspirando, recobrou a perfeita compostura:

– Como queira, Vossa Graça.

Crispin chacoalhou a cabeça. Sim, afinal sempre fora previsível. Ninguém ousaria esperar que ele, sempre imaculadamente vestido e avesso a escândalos, sairia àquela hora profana e com seus trajes em estado tão lastimável.

Mas assim o fez e, nem mesmo trinta minutos depois, Crispin se viu abrindo caminho nos corredores abarrotados do Prazeres Proibidos. Risadas estrondosas retumbavam pelas paredes da casa de jogos, pontuadas pelos gritinhos de alguma prostituta e o tilintar de moedas.

Averiguando o salão, Crispin finalmente achou seu alvo no cavalheiro acomodado à mesa central no fundo do estabelecimento. Ocupado como estava segurando um charuto em uma das mãos e um copo de uísque na outra, Hugh Madsen, o Conde de Fielding, ainda conseguia equilibrar perfeitamente as duas meretrizes loiras em seu colo.

Conforme descortinava seu trajeto em meio à multidão, vários o saudaram, mas poucos deram mais que uma olhadela à sua presença ali. Uma beldade de cabelos avermelhados colocou-se em seu caminho, interrompendo sua marcha determinada.

– Procurando por companhia esta noite, Vossa Graça? – ela ronronou, o cumprimento sussurrado superando o estrépito do salão.

– Não a essa hora. – E certamente não com essa mulher ou com nenhuma outra ali presente. Crispin entregou-lhe várias moedas para amenizar o fora e seguiu em frente. A única fêmea por cuja presença ele ansiava em todos os sentidos estava agora aninhada em sua casa no centro de Londres. *E é onde eu deveria estar... com ela...*

Todavia, sua mente e suas emoções estavam em um turbilhão e ele não suportaria ficar sob o mesmo teto que ela. Não até conseguir clarear as ideias.

Alcançou a mesa de Fielding. O amigo o recebeu com uma expressão preguiçosa, cujo tédio evidente logo foi substituído pelo choque ao perceber o estado das vestes de Crispin:

– Receio que teremos de continuar nossa conversa mais tarde, meus amores – o conde dispensou o par, e elas fizeram biquinho.

– Podemos entreter Vossa Senhoria *e vosso* amigo – convidou uma das moças com aparência de fada, puxando o corpete escandalosamente decotado de seu vestido para baixo, mostrando toda a glória de seus seios fartos.

Contudo, tratava-se de uma oferta carnal mais do que banal naquele covil de perdição, mais comum que uma cortesia ou reverência na alta sociedade. O Prazeres Proibidos era um lugar onde a honra ficava do lado de fora e o pecado triunfava sobre todos.

– Receio que os negócios me chamam – o conde balançou os joelhos até desalojar as duas mulheres de seus poleiros.

Mal o par se distanciara rebolando os quadris, Crispin já estava sentado:

– Preciso de ajuda – disse sem preâmbulos.

O outro homem o saudou com uma garrafa de uísque pela metade.

– Você *precisa* é de um banho e, para ser ainda mais preciso... – ele ajustou o alfinete de diamante no centro de seu peitilho branco como a neve e impecavelmente amarrado – ...de um novo valete.

Impaciente, Crispin puxou sua cadeira para mais perto e dispensou o serviçal que corria para lhe trazer um copo.

– É...

– Não me diga – Fielding remexeu as sobrancelhas marrons. – Sua esposa? – ele arriscou com um divertimento cínico que contradizia o choque de um segundo atrás. – Você não a encontrou?

– Pelo contrário – Crispin disse quase sem fôlego.

Além de seus pais, a única pessoa que sabia do casamento às escondidas e da fuga subsequente de sua noiva era o homem que tinha diante de si. Fielding nunca revelou seu segredo, mas ao longo dos anos nunca escondeu o desdém por Elizabeth.

– Ah, você a encontrou e esse é o problema! – Fielding virou o restante de seu drinque. – Isso faz *muito* mais sentido.

Não. Nada mais fazia sentido. Crispin passou a mão pelos cabelos.

– Oh, a situação está definitivamente feia – o amigo murmurou. – Você, cheirando a cavalo, com roupas sujas e esfarrapadas, e agora bagunçando o cabelo? – ele contraiu os lábios e colocou o copo de volta na mesa. – Deixe-me esclarecer uma coisa – ele disse apoiando os cotovelos sobre o tampo da mesa. – O que quer que essa mulher tenha feito para te deixar tão desvairado, não vale a pena. Nunca valeu! – Agarrando a garrafa meio vazia, serviu vários dedos de uísque em seu copo. – Nunca valerá! – Fielding fez uma pausa, com o copo nos lábios e, sorrindo, acrescentou: – Mas, para ser franco, nenhuma delas vale.

– Ela vale – Crispin rebateu. – E eu quero que você me ajude a conquistá-la.

O amigo engasgou, tossindo forte, tentando recuperar o fôlego. Crispin inclinou-se sobre a mesa para bater nas suas costas, mas Fielding se afastou.

– S-seu louco.

Sim. Sempre fora mais do que louco por Elizabeth Brightly. Ela era a única com quem podia conversar por horas a fio sobre qualquer assunto científico, e era passional em qualquer empreitada a que se dedicasse.

Quando seu paroxismo finalmente reduziu-se a um pigarrear, Fielding arrastou sua cadeira mais para perto:

– Você quer *conquistá-la*? A mulher que o abandonou sem nem sequer deixar um bilhete?

– Eu sei o que ela fez. – Agora, entretanto, e mais importante, ele sabia por que ela tinha feito.

O amigo prosseguiu com um sussurro furioso:

– A mesma mulher que te jogou no fogo do escrutínio da sociedade? – Quando tudo o que um cavalheiro não precisava, ainda mais um infeliz a quem seria relegado o título de duque, era de mais atenção.

– Ela fugiu para me salvar – Ainda que, em última instância, isso tenha acabado com ele.

Isso foi eficaz para silenciar Fielding.

Crispin explicou o papel de seus pais em toda a manipulação orquestrada contra ele e Elizabeth, incluindo a ameaça de suspender seus estudos em Oxford até o lugar miserável que ela foi obrigada a chamar de lar nos últimos dez anos.

Quando terminou, o conde permaneceu em silêncio.

Pegando o decanter, serviu outra dose em seu copo e empurrou o copo através da mesa. Crispin negou.

– É um maldito uísque, e se isso não merece um drinque, então nada mais merece. Beba – seu amigo ordenou.

Crispin pegou o copo e virou a bebida em uma golada lenta e longa. O líquido desceu queimando sua garganta e ele sorriu, depois devolveu o copo.

– Eu mandei beber e não virar de uma vez – Fielding recriminou. Pegando o copo, serviu outra dose e a empurrou pela mesa mais uma vez.

– Não tenho a intenção de encher a cara – Crispin resmungou, mas aceitou a bebida do mesmo jeito e tomou um gole.

– Alguns momentos pedem uma boa bebedeira.

A despeito de sua reputação, Crispin nunca fora de farrear. Mas nisso Fielding tinha razão: se havia um momento para um homem beber, era aquele. Eles permaneceram em um silêncio de camaradagem que eventualmente foi quebrado pelo conde.

– Agora – o conde se recostou em seu assento –, como você é o mais lógico entre nós dois, vamos raciocinar direito essa história toda: Um sujeito simplesmente não deixa para trás dez anos de ressentimento – ele ergueu a mão e um serviçal trouxe um copo.

– Deixa se descobre que foi um tremendo de um babaca, culpado dos crimes pelos quais acusava outra pessoa – Crispin dirigiu essa declaração ao conteúdo âmbar de seu copo.

– Ah, mas você conseguiu um arranjo de causar inveja em qualquer homem – Ergueu o dedo ao enumerar os pontos positivos: – Você está acorrentado... – Fielding até estremeceu – ...mas a uma mulher que é... invisível. Está livre para aproveitar seus prazeres sem uma esposa resmungando no seu ouvido. E quando chegar a hora de providenciar um herdeiro? – Serviu-se outro drinque. – Ora, você não precisa se preocupar com uma virgem *simplória*.

Uma virgem *simplória*? Não havia nada de simplório em Elizabeth, e jamais haveria.

– Fielding – ele avisou.

– Está bem – o amigo suspirou. – Mas eu não seria um bom amigo se não te mostrasse como essa união é perfeita.

Para a maioria dos lordes, sim. Não passavam de cavalheiros centrados em si mesmos que preferiam levar meretrizes para a cama e dilapidar suas fortunas no clube onde ele e Fielding agora estavam.

– Me ajude – Crispin repetiu, sério, apertando os dedos no copo gelado. Não era todo dia que um homem se prostrava, mas o orgulho lhe custara Elizabeth uma vez e maldito fosse se a deixasse escapar de novo sem tentar cortejá-la e ganhar seu coração.

– Você não precisa da minha ajuda, Huntington – Fielding jogou sua cadeira para trás, balançando-se num ângulo precário sobre as pernas traseiras do móvel de mogno. – Afinal, já seduziu todas as viúvas ricas e assanhadas de Londres.

Crispin ficou vermelho.

– Ahh, presumo que Sua Graça ouviu os relatos de suas... *peripécias* – o conde deduziu.

– Não eram... – Crispin esfregou o rosto. – Fielding – advertiu. Era tarde. Ele tinha, no máximo, 26 horas antes que os termos de seu último acordo com Elizabeth estivessem satisfeitos e então ela estaria livre para ir embora. O pânico disparava seu coração. – Me diga o *que* fazer!

– Está bem, está bem. Você quer mesmo saber o que fazer? – retornou a cadeira a uma posição ereta e estável. – Vá para casa! Porque chegar à cidade com sua esposa a tiracolo e então largá-la sozinha na mesmíssima noite para ir se refestelar com prostitutas no clube não vai te ajudar a ganhar a afeição da dama! – Fielding disse secamente.

– Eu não estou me refestelando com prostitutas!

– Eu sei disso. E você sabe – O conde apontou para uma mesa de roleta ali perto. Os dois dândis que os observavam desviaram o olhar para o veludo da mesa. – Mas as histórias em Londres, invariavelmente, são contadas sempre do jeito mais picante. E depois que chegar em casa? – Fielding sorriu. – Faça amor com sua mulher.

– Não é... – Crispiu exalou frustrado. – Não é tão simples. – Nunca era. – Eu quero conquistá-la.

O sorriso de Fielding se alargou.

– É muito simples, Huntington. Quer conquistar sua mulher? Então faça amor com ela.

Crispin se lembrou do beijo no campo. O gosto de Elizabeth. Seu calor. A sensação tão correta de tê-la em seus braços. Como se tivessem sido feitos sob medida um para o outro.

– Ela quer mais do que sedução – disse numa voz que soou áspera até mesmo para seus ouvidos, colocando-se relutantemente de pé.

– Se você acredita nisso – Fielding bufou – então conhece sua esposa ainda menos do que imagina.

Com a odiosa risada de divertimento do conde o seguindo, Crispin deixou o clube e voltou para casa.

Uma casa que não estava mais vazia, onde Elizabeth agora dormia.

A leveza tomou conta de seu peito. Uma sensação tão certeira. Dividir uma casa com ela, uma casa que poderia ser um lar se eles ficassem juntos. A felicidade lhe seria roubada mais uma vez se ela decidisse partir.

Não. O acordo que tinham feito, de uma noite juntos, jamais seria suficiente. Ele a queria em sua vida – para sempre.

Capítulo 13

Crispin tinha saído.

Assim que a governanta lhe deixou a sós, Elizabeth postou-se diante das janelas duplas que se estendiam do chão quase até o teto e que davam para as ruas de Mayfair, e pôs-se a espiar.

Ele nem se preocupou em trocar de roupa ou tomar banho, só montou em um cavalo diferente e partiu. E já fazia duas horas.

Não deveria estar incomodada.

Crispin expressou remorso pelo grande mal-entendido que os dividira, mas não deu indicação alguma de que havia algo... mais. Isto é, entre eles. Bem, *houve* o beijo.

Elizabeth pressionou a ponta de um dedo calejado nos lábios, que formigavam só de lembrar dos lábios dele nos dela.

Sentada diante da janela em seus aposentos temporários, recostou a cabeça contra a parede e bateu levemente.

– Você é uma idiota.

Os recortes antigos espalhados em seu colo, o conteúdo há muito tempo memorizado, eram prova suficiente de sua tolice.

Afinal, houve beijos entre Crispin e... *muitas* outras mulheres.

E por adorar se afogar no próprio sofrimento, Elizabeth pegou uma das páginas já amareladas que havia rasgado de um jornal da Sra. Belden quase oito anos antes.

A *Baronesa Norreys, recentemente viúva, foi vista em escandaloso estado de desalinho saindo dos Jardins dos Prazeres de Vauxhall. O cavalheiro avistado em seguida deixando o encontro clandestino...*

– Não era outro senão o marquês de W e futuro duque de H – Elizabeth sussurrou na sala vazia.

O ciúme a perfurou, sufocando-a com sua intensidade. Brasas estalaram e assobiaram na lareira, fazendo eco à sua própria miséria. Provavelmente era a centésima vez desde que ele saíra que Elizabeth lançava outro olhar para as ruas vazias logo abaixo.

Ficaria sentada ali, enquanto Crispin fazia... o que quer que canalhas fizessem? Com qual propósito? Sem sono, guardou os artigos recortados com esmero de volta na valise e partiu para explorar a residência de Crispin.

O grosso tapete abafou seus passos ao sair do quarto.

Ou melhor, dos aposentos da duquesa, como a governanta se referira a eles, dado que o quarto de Elizabeth não era apenas um quarto de hóspedes, mas o cômodo reservado para a dama da casa. Interligado com o de Crispin, eram separados por uma parede e uma porta dupla de nogueira.

Saiu perambulando pelos corredores. Os candelabros de cristal e bronze de estilo imperial estavam alternadamente acesos, o brilho das velas iluminando os amplos corredores e a suntuosidade da residência. Um pedestal de madeira de jacarandá ostentava uma urna dourada, reluzente graças aos esforços dos serviçais obedientes que cuidavam desses tesouros. Uma pintura a óleo em uma grande moldura oval era a única obra de arte ao longo do corredor.

Elizabeth analisou por alguns segundos a cena emoldurada.

De acordo com as lições que fora forçada a lecionar sobre a decoração adequada à residência de um nobre – e a Sra. Belden e os livros sobre o assunto eram todos muito claros –, as obras de arte em exibição deveriam ser de antepassados distintos e da família que residia na propriedade, como um lembrete de seu poder e grandeza. Elizabeth sempre escarneceu de tanta pompa, e Crispin não pendurara nenhum desses retratos. Em vez disso, o único quadro era de uma bucólica cena campestre.

Ajustando os óculos, Elizabeth aproximou-se e contemplou a pequena cabana, as árvores retorcidas e as colinas que poderiam ser de qualquer zona rural inglesa.

– É horrível, não é?

Elizabeth tentou conciliar a melancólica sensação de arrependimento com o homem sobre quem lera nos jornais, o mesmo que fugira no instante em que chegaram, provavelmente indo visitar algum dos escandalosos clubes que frequentava.

Tinha a constante impressão de que Crispin era duas pessoas muito diferentes: o cafajeste sedutor e o cavalheiro erudito – e ambos a mantinham sob um feitiço.

Apertando o cinto de seu robe com mais força, Elizabeth retomou a exploração da casa dele. Que também poderia ser sua se ela tivesse ficado.

– Quero que você se vá. Encontraremos um meio de garantir a anulação que Crispin tanto deseja.

– E se eu me recusar? – Elizabeth desafiou.

– Pfft. Sempre pensei que você fosse mais inteligente...

O calor queimou as bochechas de Elizabeth.

– Por que você ficaria? Você mesma ouviu, senhorita Brightly. Meu filho já lamenta ter se casado com você. – A duquesa transpirava ódio. – E ficará ainda mais arrependido quando o destituirmos de todo e qualquer rendimento e interrompermos sua bolsa de estudos em Oxford.

A antiga ameaça da duquesa apoderou-se de Elizabeth, reacendendo uma dor familiar e trazendo algo mais: uma fúria mordaz e colérica contra aquela que a manipulara, não só a ela, mas também a Crispin.

Obrigando-se a deixar a lembrança daquele dia e daquela mulher nos cantos mais recônditos de sua mente, Elizabeth seguiu explorando todos os cômodos: localizou a Sala de Retratos, onde viu os ancestrais de Crispin impecavelmente organizados, até alcançar a extremidade mais isolada da residência, onde se viu atraída por uma porta dupla branca de metal, que fazia um contraste vibrante com a escuridão do corredor. O vitral colorido ao redor tinha desenhos de...

Sua respiração ficou mais pesada conforme se aproximava com passos medidos...

– Borboletas – murmurou.

Estendeu a mão e passou a ponta dos dedos sobre as asas vermelhas em um dos vitrais. Era uma coincidência e nada mais.

Engoliu em seco. Só que...

– Elas vivem apenas algumas semanas. – Deitada de bruços, o orvalho da grama umedecendo seu vestido, Elizabeth observava uma borboleta-monarca flutuando de flor em flor. – Que triste é a existência delas...

– Pelo contrário – Crispin murmurou com tranquilidade, absorvendo todos os movimentos da delicada criatura. – O importante não é o tempo que se vive, mas o que se faz quando se está vivo.

Daquele momento em diante, seu amor pelas criaturas aladas esteve irremediavelmente ligado a Crispin e àquele dia de verão nos jardins de sua família. Ela estudou sobre borboletas, aprendendo cada detalhe dos livros que Crispin contrabandeava de seus tutores para aplacar sua sede insaciável por mais e mais conhecimento.

Elizabeth girou a maçaneta e sentiu uma brisa quente soprar lá de dentro para o corredor, um bálsamo na noite fria. Ansiosa, entrou e fechou a porta atrás de si, recostando-se no painel de vidro. E viu-se soltando um suspiro de surpresa.

A sala habilmente projetada retinha todo o calor do dia anterior. Braseiros incandescentes dispostos ao redor da estufa adicionavam uma camada extra de calor.

Elizabeth adentrou o jardim, com os passos silenciados pela relva suave e exuberante que cobria o chão. Heras e azevinhos trepavam em treliças artisticamente dispostas por toda parte, enquanto as folhas brilhantes de olmeiros e sempre-verdes criavam a ilusão de uma paisagem ao ar livre.

Um objeto azul-claro chamou sua atenção de canto de olho.

Foi até o azevinho bem cuidado e contemplou a peça incomum que pendia de um galho fino. Com quase 60 centímetros de comprimento e vários centímetros de largura, tinha a aparência de uma casinha que seu pai construíra para os pássaros canoros que habitavam os álamos do lado de fora da janela de seu quarto. Na ponta dos pés, espiou dentro de cada um dos buraquinhos, tentando enxergar algo na escuridão.

Uma celastrina esvoaçava acima do topo da árvore, e Elizabeth ficou paralisada quando a borboleta rodopiou para baixo e então deslizou sem esforço por uma daquelas ripas laterais.

– Isso é...

– Uma casa de borboletas – Crispin esclareceu às suas costas.

Elizabeth ofegou e girou nos calcanhares, dando de cara com Crispin na entrada da estufa, com os braços cruzados sobre o peito. Em algum momento, ele se livrara do casaco e do peitilho, mas ainda usava a mesma camisa amassada e as botas sujas de lama que vestira para sair naquela manhã.

– Você ainda não foi para a cama – observou ele, caminhando com passos preguiçosos e lânguidos.

Maldito seja por ser tão charmoso... *andando*. Era de dar nos nervos o modo como ele fazia a mais ordinária das ações tornar-se extraordinária. Elizabeth concentrou-se em manter a respiração uniforme.

– Não – admitiu. – Não consegui dormir... – O olhar dele era aguçado. Elizabeth apressou-se em esclarecer: – Estou acordada há tanto tempo que meu corpo passou do ponto do descanso. – Será que ele percebeu a mentira? Será que deduziu que seu sono fora roubado por torturantes imagens que não lhe saíam da cabeça de Crispin com alguma de suas amantes?

– Sei...

E, embora não houvesse nem um pingo de arrogância ou presunção contida nessa palavra, algo lhe dizia que ele de fato sabia muito bem. Com seus instintos e discernimento, ele viu mais do que ela queria compartilhar.

Incomodada, Elizabeth reexaminou a estrutura de madeira:

– Nunca ouvi falar de uma casa de borboletas... – Ele se aproximou e postou-se ao lado dela, tão perto que seus braços roçaram. Seu pulso disparou e ela lutou para fazer sua língua repentinamente pesada se mover. – É-é como uma casa de passarinho?

– São diferentes – ele explicou, tão pragmático nesse pronunciamento que quebrou efetivamente o clima. – Os pássaros precisam de um local protegido para criar seus filhotes. Borboletas não.

– Não – ela concordou, olhando mais fundo nos buraquinhos escurecidos. – Elas são delicadas, mas muito mais resistentes.

Um sorriso melancólico brincou em seus lábios. Crispin então sussurrou em sua orelha, disparando um suave formigamento ao longo de seu lóbulo, provocando uma risada abafada:

– Quantas noites passamos vasculhando sob as folhas do quintal, com nada além de um lampião, à procura de borboletas adormecidas?

– Incontáveis. – Ele era um garoto incansável, de sorriso fácil, com as roupas tão manchadas de lama quanto as dela.

Sempre que estavam juntos, Crispin não se incomodava com as restrições de um casaco ou peitilho. Que engraçado que agora eles estivessem em um estado semelhante de desalinho, mas conduzidos àquele ponto por atividades tão diferentes.

O sorriso dela desbotou. Um lembrete da nova divisão que existia entre eles.

– Tsc, tsc... Estou decepcionado, Elizabeth.

– Eu não... – Elizabeth mostrou-se confusa.

– A garota de quem eu me lembro nunca teve menos de uma dúzia de perguntas sobre qualquer assunto. Quando se tratava de borboletas, então, seu arsenal era ainda maior.

– Eu era diferente – *Nós éramos diferentes*. – Aprendi a ser mais comedida. Mais contida. – Sua sobrevivência na Sra. Belden dependia disso. E, com um olhar significativo: – Mais cuidadosa.

Crispin encostou o quadril na pedra esculpida do relógio de sol e olhou-a, com malícia:

– Eu te conheço – ele insistiu, usando aquela voz de veludo de cafajeste galanteador que conjurava sedução e pecado. – Você pode mostrar essa faceta para o mundo, mas ainda é a mesma garota que sempre foi. Inquisitiva. Ávida para conhecer e explorar... tudo.

Ela sentiu o coração dando uma batida irregular.

Em algum ponto do caminho, eles mudaram o rumo da conversa e não eram mais dois adultos falando de borboletas ou lembranças do passado. Ela era uma mulher e ele era um conquistador que lhe atiçava para o proibido.

– Você presume demais. – Elizabeth tentou levantar guarda, mas então umedeceu os lábios e ele cravou os olhos nessa ação, semicerrando os cílios grossos, mal escondendo o desejo nas profundezas de safira de seus olhos – desejo por ela.

– Eu?

– Sim, você. Eu mudei. – Ela o mediu de cima a baixo, deliberadamente demorando-se em suas roupas amassadas. – Nós *dois* mudamos. – De maneiras que impossibilitavam qualquer esperança de futuro. Porque ela não podia, mesmo que ele desejasse, ficar ali, não quando ele saía e voltava altas horas da noite... visitando sabe-se-lá quem. Isso a devastaria de maneiras que a primeira separação deles não tinha conseguido.

– Por que eu tenho a impressão de que isso foi dito com a intenção de ser um insulto, Elizabeth? – A frustração era visível em seu corpo.

Ela o ofendera... Mas por que ele se importava? Se era um devasso impenitente, feliz com sua liberdade, o que importava o que ela achava dele?

– Não um insulto – ela corrigiu, balançando a cabeça. – Antes, uma constatação. Não tenho tempo para correr o dia inteiro pelas encostas e ponderar sobre o peso das asas de uma borboleta. Sou instrutora de uma escola de boas maneiras, Crispin. Voltarei para lá e não haverá horas sem fim para dedicar à discussão do que quer que seja, exceto dos tópicos que você com razão menosprezou. – Nisso pelo menos ela não estava mentindo. Ele tinha razão. Não havia nada de honroso nas lições que ela ensinava. Tudo isso, seu futuro, seu trabalho na escola da Sra. Belden, deixaram-na desolada.

– Você pode ficar aqui – ele disse baixinho.

Essas quatro palavras, anunciadas num misto de sugestão e pergunta, sugaram o ar entre eles.

– Como? – ela sussurrou.

Crispin se endireitou, empertigando-se em toda sua altura. Com poucos passos, eliminou a distância entre os dois e, capturando o queixo dela com um gesto delicado, passou o polegar pela sua bochecha.

– Fique.

Fique. Elizabeth ficou com a respiração presa em algum lugar entre a garganta e os pulmões, engasgada ali enquanto permanecia imóvel, com medo de se mover, com medo de respirar.

– Você não precisa ter a vida que descreveu – continuou ele em tom grave, despojado do sensual murmúrio anterior. O tempo todo, continuou com a carícia delicada, suave como asas de borboleta. Ela fechou os olhos e se inclinou para saborear o toque dele, sua oferta, desejando desesperadamente a ambos. – Podemos ter um futuro juntos.

E aí estava. O sonho pelo qual ansiara em silêncio por dez longos anos, exposto. A seu alcance.

Crispin aproximou seus lábios dos dela e Elizabeth inclinou a cabeça para receber o beijo, mas sentiu o cheiro de uísque flutuando sobre seus lábios. Virou o rosto e o beijo dele roçou sua bochecha. A realidade escancarou-se nua e crua.

– Você é um libertino! – ela respirou fundo e desvencilhou-se. – Que cheira a bebida e charutos.

– Eu não estou bêbado, Elizabeth – ele ficou ruborizado. – E não estava fumando. O cheiro só está impregnado nas minhas roupas.

– Por causa dos lugares que você frequenta – ela rogou, querendo que ele entendesse. – São as pessoas com quem você convive – ela fez uma pausa. – É a vida que você vive desde que nos separamos.

Crispin abriu e fechou a boca várias vezes, mas não conseguiu articular nenhuma palavra. Elizabeth retorceu os dedos dos pés no gramado macio, implorando silenciosamente para que o chão se abrisse e a engolisse.

– Eu não tenho ressentimentos por você... ter uma amante... amantes – emendou fracamente. *Mentirosa. Tem ódio. E odeia ainda mais as mulheres que tinham conquistado o afeto dele.* Por mais que ela fosse a culpada por ter destruído o casamento deles.

– Olhe para mim – ele ordenou com uma veemência tal que a fez levantar o olhar. – Fui encontrar um amigo esta noite, Elizabeth. Quando eu estava de coração partido por sua fuga, o Conde de Fielding foi o único que me consolou.

Ele tinha outro amigo em sua vida. Não ficou sozinho. Como era possível sentir alegria e uma tristeza dolorida ao mesmo tempo? Enquanto ela ficou miserável e infeliz sentindo a falta dele na escola da Sra. Belden, Crispin encontrou outra amizade.

– Você não me deve explicação nenhuma, Crispin – disse cansada, os ombros afundando. – Como você muito bem apontou... fui eu que fugi. E você estava livre para viver sua vida como bem entendesse. – Assim como continuaria a fazer quando ela retornasse à Sra. Belden.

Elizabeth ajustou a armação dos óculos atrás das orelhas e, de cabeça baixa, dirigiu-se para a porta de borboletas.

– Você acha que eu fui infiel a você? – ele chamou por ela. Mágoa e aborrecimento escorriam da pergunta que a congelou no meio do caminho.

– Eu... – Elizabeth virou-se devagar. Havia as colunas nos jornais e a própria satisfação que ele demonstrara dias antes ao jogar sua reputação na cara dela.

O luar pálido refletia os contornos impecáveis de seu rosto e iluminava a centelha de remorso em seus olhos.

– Como o seu conceito sobre mim pode ser tão baixo? – observou e, onde antes havia raiva, agora havia resignação. – Eu nunca lhe dei motivos para duvidar da minha devoção. – Aproximou-se, o músculo tenso de seu bíceps desmentindo a casualidade fingida. Crispin fitou o rosto dela. – Nunca houve nenhuma outra mulher, Elizabeth.

Tal declaração interrompeu todo o fluxo de pensamento lógico.

– As colunas dos jornais? – ele torceu a boca em um meio sorriso irreverente. – As fofocas? – ele mesmo acrescentou. – O mundo se contenta em ver aquilo que quer ver. Um duque solteiro, amigo de um libertino, deve ser um mulherengo. – Seu pomo de adão movia-se com celeridade. – Mas havia apenas uma mulher que eu queria. Uma única mulher que eu desejei.

– Quem? – ela perguntou, concedendo-lhe nada mais do que um monossílabo sem fôlego.

Uma risada amargurada retumbou no peito dele.

– Oh, Elizabeth. Como é possível uma mulher ser tão inteligente e não saber nada ao mesmo tempo? – Ele pousou sua testa sobre a dela. – Você, Elizabeth. Sempre foi só você.

E, simples assim, o mundo parou de girar em seu eixo.

Elizabeth agitou a mão sobre o peito.

– Então você nunca...?

Crispin levou os dedos à testa e a massageou. E desejou, nesse momento, ser o libertino que o mundo o proclamava. Pois assim teria todas as palavras encantadoras esperadas dele. A verdade, no entanto, é que passara a maior parte de sua vida atendendo às expectativas – as que sua família tinha para ele, e as que a sociedade tinha para um duque.

– Percebi que te amava quando tinha 16 anos, mas eu sempre te amei.

Ela arquejou com suavidade e, antes que pudesse rejeitá-lo novamente, ele cobriu a boca de Elizabeth com a sua. Crispin a beijou do jeito que sonhava beijar desde aquela beijoca roubada muito tempo atrás sob o céu azul de Oxfordshire. Beijou-a como havia feito apenas um dia antes, mas dessa vez sem restrições, entregando-se à fome que o devorava.

Enchendo as mãos com os quadris delgados de Elizabeth, puxou-a para junto de si, pressionando seu corpo contra o dele.

Gemendo, Elizabeth se derreteu em seus braços e, entreabrindo os lábios, permitiu que ele entrasse. Crispin varreu sua língua para dentro, duelando com a dela. E em seus lábios, em cada respiração que ela exalava, ele provava de seu próprio desejo.

Através do tecido fino do penhoar, ele percorreu o corpo esbelto até alcançar o seio direito e aninhá-lo em sua mão, beliscando o mamilo por cima do tecido delicado. De novo e de novo. Até Elizabeth jogar a cabeça para trás, num misto de apelo incoerente e soluço.

O desejo bombeava por ele e, com um grunhido primitivo, Crispin puxou a roupa dela para baixo até que os seios estivessem à mostra diante dele e do céu noturno de Londres.

Afastou-se um pouco e Elizabeth se queixou com a perda. Enroscando os dedos nos cabelos dele, tentou guiar sua boca de volta para a dela, mas Crispin resistiu.

Com a respiração ofegante em meio ao silêncio quebrado apenas pela brisa errante e a água que escorria da fonte grega, ele a adorava com os olhos. Um punhado de sardas se espalhava entre os seios, os grandes mamilos em tom de rosa pálido. O suave volume dos seus seios havia sido feito para as mãos dele, e Crispin encheu suas mãos com Elizabeth.

Ela mordeu o lábio inferior, seus cílios tremularam e, por entre a cortina vermelha, ela seguiu cada movimento de Crispin com a curiosidade com que contemplaria um estudo científico. Segurando-os entre os dedos, Crispin atiçava seus mamilos, provocando-os com leves apertões e pequenos movimentos, e Elizabeth abaixou a cabeça.

– Crispin – gemeu seu nome, num apelo.

– Você é tão linda – ele respirou contra a pele dela. Abaixando a cabeça, levou um mamilo à boca e o sugou.

Elizabeth gritou.

Ele a amparou quando as pernas dela bambearam e mudou seu foco para o outro seio, deleitando-se até gemidos sôfregos ecoarem pelos jardins.

– Eu queria você muito antes do nosso primeiro beijo – Crispin arquejou, a respiração resfolegando contra a pele ruborizada de Elizabeth. Depositou um beijo no ponto onde o coração dela batia loucamente. – Eu sonho com isso... – Muito depois que ela se fora. Ele hesitou, recuando. – Mas você merece mais do que fazer amor aqui fora em uma...

– Não – Elizabeth ordenou sem fôlego, agarrando-o pelos ombros. – É assim que deve ser. – Seus dedos subiram até afundarem nos cachos castanhos e ela puxou a boca de Crispin de volta para a sua. – É assim que eu *quero* que seja.

Com um gemido, ele reivindicou seus lábios. Sem interromper o contato, guiou Elizabeth até a grama, para que se ajoelhassem ali. Acariciou os lábios dela com a língua, traçando o contorno carnudo até encontrar a entrada para sua boca mais uma vez.

E ela o deixou entrar. Acolheu-o. Entregou-se a ele com uma ferocidade ardente que enviou uma pontada dolorosa de necessidade ao membro de Crispin, alimentando sua fome, aumentando o calor do sangue que corria por suas veias. Quando mudou sua atenção para a delicada concha de sua orelha direita, Elizabeth gemeu.

– I-isso sem d-dúvida é d-diferente do nosso último b-beijo – sua voz se partiu em um gemido quando ele chupou o lóbulo.

– A qual "último beijo" você se refere, minha doce Elizabeth? – ele sussurrou contra sua orelha, arrancando uma risada sem fôlego dela. – Aquele fora da estalagem ontem à noite? – Sem esperar por uma resposta, devotou-se ao seio negligenciado.

– N-não o beijo da noite passada... – Ela arqueava os quadris reflexivamente contra a crista dura de sua masculinidade em uma dança primitiva.

– E aquele nosso primeiro beijo me deixou arruinado para qualquer outra mulher – ele brincou. E então todas as palavras, risadas e dores do passado desapareceram, superadas apenas pela fome mútua de provar a paixão um pelo outro. Crispin lutava com os botões nas costas de sua camisola. Não bastava adorar os seios perfeitos; queria vê-la em todo seu esplendor, a pele branca como leite ruborizada pelo desejo, banhada pela luz suave do luar.

Ele foi descendo numa trilha de beijos pelo pescoço até o queixo e Elizabeth inclinou a cabeça para o lado, permitindo-lhe acesso completo, abrindo-se de maneiras que Crispin não merecia, mas que era bastardo demais para negar-se a possuir.

– Para que tantos botões, inferno!? – ofegou. Não imaginava ser possível detestar tanto um objeto inanimado como detestava agora aqueles botões.

– A Sra. Belden acredita que botões preservam uma dama em sua... – *Riiiip*. Uma chuva de minúsculos botões caiu sobre eles. – ...virtude – Elizabeth terminou. Na bruma leve da paixão crescente, eles trocaram um breve sorriso. Crispin levantou a bainha de sua camisola.

Todo o humor desapareceu conforme expôs centímetro por centímetro da pele macia e acetinada.

Todo o ar ficou preso em seu peito, alojado dolorosamente. E ele se permitiu o que há tanto desejava: acariciá-la com o olhar, contemplar cada sardinha sedutora e curva delicada. Elizabeth estava ajoelhada, orgulhosa como Atena.

Conforme os segundos passavam, ela trouxe os braços quase protetoramente sobre os seios. Crispin interceptou a tentativa com um movimento afetuoso, porém firme. A indecisão raiou por trás de seus óculos borrados.

Como ela podia não ter noção da própria beleza?

– Não há ninguém mais magnífica que você, Elizabeth. Em mente, espírito e beleza.

Seus lábios se separaram e ela soltou um suspiro suave e trêmulo, abrindo os braços para ele.

– Faça amor comigo.

Era o comando de uma mulher que sabia o que queria. O sangue bombeava em seu corpo, e seu órgão ficava ainda mais intumescido com a necessidade de estar dentro dela.

Crispin a deitou com cuidado, de modo que o exuberante pedaço de relva esmeralda servisse de colchão. E nisso ela também estava certa. Era tão correto que esse momento acontecesse ali, assim... num Éden particular.

Sentou-se e Elizabeth abriu os cílios pesados, observando-o, uma pergunta no olhar.

Sem desviar os olhos dela, puxou a camisa de dentro da calça, tirou-a e a jogou de lado. Em seguida, descalçou as botas de montaria, jogando-as na pilha esquecida de roupas.

Elizabeth se apoiou nos cotovelos e, com os olhos arregalados de desejo, acompanhou todos os seus movimentos.

Crispin tirou as calças e as chutou para o lado, ficando nu diante dela.

Sem pudores, ela percorreu o olhar cheio de paixão pelo corpo dele, sem deixar nenhuma faixa de pele intocada. Por um milésimo de segundo, hesitou no abdômen, e então se mostrou tão destemida e lindamente sem vergonha quanto sempre fora.

Seus olhos recaíram no órgão orgulhosamente ereto, a cabeça pressionando o abdômen.

– Você é magnífico – sussurrou, ecoando os pensamentos de Crispin sobre ela. Elizabeth esticou os braços, tal qual uma sereia fazendo um convite, e ele estava tão perdido quanto um marinheiro em alto-mar.

Com um gemido, colocou-se sobre ela. Apoiando-se nos cotovelos, tomou sua boca em outro beijo e, quando ela o abraçou, sua língua correspondeu ao beijo com a mesma voracidade.

Crispin esticou a mão entre seus corpos e alcançou a maciez da área felpuda que lhe protegia a feminilidade. Um sibilo explodiu dos lábios de

Elizabeth, perdido em sua boca. Ele a explorou, pressionando a base de sua mão contra a carne sensível.

– Por favor – ela choramingou, estremecendo ao seu toque, mas deixando as pernas abertas em um convite e, em resposta, ele deslizou um dedo pelo canal molhado.

Um som incoerente – nem gemido nem suspiro, mas, sim, um misto de ambos – reverberou pelo teto de vidro.

– Eu quero... eu não sabia...

– Nem eu – ele conseguiu grunhir, com a voz rouca, à medida que cada nervo e fibra de seu corpo se tensionava sob a esmagadora necessidade de se colocar entre as pernas dela e mergulhar fundo. Ele provocou o centro íntimo de Elizabeth, explorou as dobras carnudas que o protegiam. Crispin se deleitava com a sensação e o calor dela.

O suor brotava e uma gota solitária escorreu em sua testa.

Elizabeth estendeu a mão trêmula e passou pela gotícula. Então correu a mão por seus cabelos, ajustando-os carinhosamente atrás de suas orelhas. Crispin continuou a provocá-la e tocá-la, até que as mãos de Elizabeth caíram e o envolveram mais uma vez, até que ela arranhou as costas dele, segurando-o com força, implorando.

Crispin se ajeitou entre as coxas dela, aninhando seu membro rígido contra os pelos úmidos. Um gemido agonizante saiu rasgado, e ele travou uma batalha pelo controle.

– Por favor – ela implorou, testando cada fragmento de sua força e determinação.

Baixando sua fronte contra a dela, Crispin deslizou lentamente para dentro, penetrando seu núcleo apertado centímetro por centímetro. E parou. Era demais.

– Oh, Deus! – Ele cerrou os olhos com tanta força que chegou a vislumbrar pontinhos de luz.

– *Marmoream relinquo, quam latericiam accepi. Nil ego contulerim iucundo sanus amico. O mihi praeteritos referat si Iuppiter ann...*

– Você está citando latim? – ela perguntou com uma risada ofegante.

– Não.

Ela arqueou os quadris, insistindo.

– Sim – ele murmurou, a sentença de uma sílaba dissolvendo-se em um gemido. Elizabeth sorriu maliciosamente para ele.

– Seu safadinho.

O sorriso dela congelou quando ele encontrou aquele delicado nó mais uma vez.

– Mmmmm... – E com as palavras perdidas para os dois, Elizabeth o envolveu com as pernas e girou os quadris.

– Perdoe-me – ele sussurrou e em seguida arremeteu o restante, preenchendo-a por completo.

O grito de Elizabeth ecoou pelo espaço antes de Crispin cobrir sua boca com a dele e engolir o restante daquele clamor devassado.

Seu coração trovejou em seus ouvidos, batendo forte contra o dela. Ambos permaneceram imóveis, sem se mover por diferentes razões. Um suspenso pela ânsia, a outra pela dor. E foi essa dor que fez com que Crispin conseguisse dominar seu desejo.

– Sinto muito – disse suavemente, dando um beijo em sua têmpora, soprando um cachinho solto.

Elizabeth abriu os olhos, os óculos tortos, as lentes embaçadas refletindo a fome de Crispin por essa mulher.

– Faça amor comigo – ela pediu.

Ele gemeu e então começou a se mover dentro dela. Lentamente a princípio e depois mais rápido. Seus quadris se contraíram freneticamente. E a cada estocada, perdia mais e mais o fino fio de controle que exercia sob o peso de seu próprio desejo. Elizabeth combinou seus movimentos com o dele, abraçando-o junto a si. Sussurrando seu nome. Suplicando.

Oh Deus. *Tantae molis erat Romanam condere gentem...*

Os quadris de Elizabeth assumiram um ritmo frenético e cadenciado. A respiração cada vez mais acelerada.

Mal posso esperar...

– Deleite-se para mim – implorou, lutando consigo mesmo. Querendo que o prazer dela viesse antes do dele. Antes de mais nada. – *Nostri coniugii memor vive, ac vale.*

O corpo inteiro de Elizabeth ficou rígido. E, com um grito glorioso, ela gozou.

Com um gemido, Crispin também se rendeu, derramando-se dentro dela, gozando tão rápido e tão intensamente que viu de novo os pontos de luz brilhando atrás de seus olhos, e tudo o que via, absorvia ou sentia... era Elizabeth.

Ele caiu, amparando o próprio peso nos cotovelos para não esmagá-la.

Uma noite nunca seria o suficiente. Ele a queria para sempre.

Elizabeth.

Capítulo 14

Na noite seguinte, Elizabeth estava em pé diante de um espelho de corpo inteiro, enquanto as aias passavam de um lado para o outro em seus aposentos, preparando-a para o baile.

Metade de seus cachos foi presa no alto de sua cabeça, com brilhantes pentes de borboleta, enquanto as outras mechas foram deixadas soltas sobre seus ombros. Ela inclinou a cabeça, mal se reconhecendo, pois quase podia acreditar que era bonita.

– *Não há ninguém mais magnífica que você, Elizabeth. Em mente, espírito e beleza.*

Seu corpo se arrepiou com a lembrança das palavras que Crispin lhe sussurrou, o rubor roubando a alvura de sua pele. Ele lhe mostrara com seu toque que ela era linda. Que a desejava.

Três aias se adiantaram, trazendo um vestido de cetim cor de safira, resgatando-a de seus pensamentos libidinosos.

– Aqui está, Vossa Graça – anunciou Calista, a jovem faceira que lhe fora designada como criada pcssoal.

Elizabeth levantou os braços e elas passaram o vestido por sua cabeça, esbarrando sem querer nos óculos que escorregaram pelo seu nariz. O cetim deslizou sobre seu corpo com um suave farfalhar, assentando-se em seus tornozelos com um caimento perfeito.

As outras criadas se retiraram e Calista começou a cantarolar a melancólica melodia de *Scarborough Fair* enquanto fechava com destreza os botões de pérolas nas costas do vestido. Elizabeth colocou os óculos de volta no lugar. E então congelou.

– Oh, meu Deus – ela sussurrou, sem fôlego.

Borboletas de diamantes adornavam cada uma das mangas levemente bufantes do vestido. As criaturas cristalinas haviam sido bordadas ao longo da saia plissada daquela obra-prima de cetim. As peças delicadas reluziam ao brilho da vela, refletindo um prisma iridescente no papel de parede acetinado.

Com dedos reverentes, Elizabeth roçou a borboleta solitária ao final do corpete profundo e enfeitado com rendas.

– Bonito, não é? – Calista comentou. Com os olhos brilhando, ela se inclinou para frente, encontrando o olhar de Elizabeth no espelho. – Sua Graça se encarregou pessoalmente da encomenda. Ele trouxe nada menos que a melhor modista e a instruiu sobre como o vestido deveria ser desenhado. Insistiu em borboletas.

– É lindo – ela concordou, com a emoção apertando sua garganta, lágrimas marejando seus olhos. Passou todos aqueles anos acreditando que não tinha importância para Crispin. Que ele não se recordava das lembranças que compartilharam, que as substituíra por outras mais recentes, com mulheres mais novas. E, em vez disso, ele se lembrava... de tudo.

– *Sempre foi só você.*

Uma lágrima solitária escorreu por seu rosto. Todas as fofocas, todas as histórias, não passavam disso: histórias.

O sorriso de Calista se apagou e ela parou no meio do fechamento de um botão.

– Aqui, Vossa Graça. Nada disso – ela repreendeu. – Você não pode estragar a maquiagem dos olhos. – Cantando uma melodia mais alegre, ela voltou a abotoar o vestido de Elizabeth. – Pronto! – Calista anunciou e se afastou, sorrindo tal qual uma mãe orgulhosa. – Você está pronta!

Nunca houve palavras menos verdadeiras do que aquelas três. Filha de um comerciante do vilarejo que virou instrutora de uma escola de boas maneiras, ela estava mais preparada para servir bandejas aos convidados do que recebê-los como anfitriã.

Elizabeth se admirou no espelho de cristal, inclinando a cabeça para o lado enquanto avaliava seu reflexo.

E, no entanto... com os diamantes Ferguson pesando em seu pescoço e vestindo a obra-prima etérea que Crispin havia desenhado, ela poderia muito bem passar por qualquer outra debutante da sociedade que deixava a Escola de Boas Maneiras da Sra. Belden, pronta para exercer o papel de duquesa.

E, quando era uma garota de 17 anos, nunca havia realmente considerado as implicações desse fato.

Mas com Crispin ao seu lado e vocês dois felizes, enchendo a vida um do outro de amor, seu futuro pode ser tudo aquilo que você desejar.

– Eu juro que um dia vou me casar com você, Elizabeth Brightly.

Rindo, Elizabeth não desviou o olhar da formiga solitária carregando uma migalha maior que o próprio corpo. – Não seja bobo, Crispin Ferguson – ela murmurou, aproximando ainda mais o rosto da terra. – Você não pode se casar comigo.

– E por que não? – ele exigiu, a afronta em sua voz de 14 anos atraindo o olhar dela. – Eu posso me casar com quem eu quiser!

– Não – Elizabeth revirou os olhos. – Você não pode. Sua mãe não vai deixar. Você precisa se casar com uma dama elegante como Lady Dorinda, que faz uma reverência muito boa e não espalha lama pelos corredores.

– Pois espere e verá, Elizabeth Brightly.

No fim das contas, a criança que ela fora também enxergara a impossibilidade da empreitada em que eles se aventuraram. Mas por que tinha de ser impossível? Ela ficou imóvel, sem respirar, sem se mexer, enquanto enfrentava a própria covardia. Por ter permitido à duquesa ditar o futuro deles. Convenceram-na de que não tinha valor e de que o futuro e a felicidade de Crispin dependiam somente dela. Mas, em última instância, Elizabeth foi embora. Em última instância, foi ela que tomou uma decisão, pelos dois, e que afetou o futuro de ambos. Ah, todos esses anos, ela assumira o papel de vítima por causa do que ouvira... e da ameaça feita pela então duquesa.

Mas isso não mudava a verdade dos fatos: ela tinha fugido.

Todo o ar esvaiu-se de seus pulmões em um chiado vertiginoso, e ela fechou os olhos brevemente, lutando para manter a compostura.

Crispin estava certo. Eles eram marido e mulher, mas acima de tudo eram amigos. E, como tal, ela deveria ter lhe comunicado o que ouvira para que, juntos, pudessem decidir sobre o futuro.

Nesse momento, admitiu a verdade que há muito negava para si mesma: tinha sido covarde. Teve medo da decisão que ele tomaria, e fugir tinha sido a solução que vislumbrou para ele e para si.

Ao partir, ela lhe roubou uma decisão e poupou-se da possibilidade de ouvir uma rejeição.

– Vossa Graça? – O sussurro hesitante de Calista interrompeu suas reflexões, forçando Elizabeth a abrir os olhos. – O duque está pronto lá embaixo.

– É claro – Elizabeth assentiu, sentindo a língua grossa.

Inspirou fundo várias vezes. O passado não podia ser desfeito. O futuro era tudo o que tinham, e o que viria disso era o que eles decidiriam agora como marido e mulher – exatamente como deveria ter sido decidido no passado.

Beliscou as bochechas pálidas em uma tentativa de trazer de volta a cor e alisou as saias. Estava na hora.

Logo depois, Elizabeth encontrou seu caminho pelos corredores da mansão Huntington e dirigiu-se ao andar de baixo, onde Crispin a esperava.

Uma mão apoiada no corrimão da escada, Crispin reclinou-se contra ela com uma lânguida realeza, a outra mão segurando seu relógio.

Elizabeth fez uma pausa e sentiu toda a dor e frustração de antes aliviarem seu coração. E como era bom sorrir sem medo de recriminação ou repreensão por ter um sorriso que não meticulosamente calculado como insistia a Sra. Belden.

Crispin olhou para cima e a corrente escorregou de seus dedos e deixou o relógio balançando para frente e para trás, esquecido.

– Elizabeth – ele sussurrou.

Agarrando nervosamente o corrimão, ela deslizou pelos degraus abaixo, sentindo a pele ruborizar vários tons conforme ele a observava descer. Que singularidade mais estranha compartilhar as partes mais íntimas de si mesmo e ficar nu diante do outro, apenas para se descobrir sem saber como agir à luz de um novo dia.

– Crispin – ela cumprimentou quando o alcançou.

– Você está... – Seu olhar a percorreu como um toque íntimo. – Deslumbrante.

Crispin ofereceu-lhe o braço e Elizabeth o envolveu com o seu, permitindo que ele a conduzisse ao salão de baile. Os lustres de cristal, todos acesos com longas velas afuniladas, iluminavam o piso de mármore branco italiano e as colunas de estilo dórico. Enquanto caminhavam, ela sentiu todo o medo ficando para trás, substituído por um sentimento de que nada podia estar mais absolutamente correto do que estar ali com ele.

– Minha mãe não comparecerá – ele anunciou em tom grave.

É claro que a realidade invariavelmente daria um jeito de se intrometer. Elizabeth ficou rígida.

– Sinto muito – disse baixinho, quando se colocaram no topo da escadaria dupla que levava ao salão de baile.

– Eu não – ele respondeu simplesmente, levando a mão de Elizabeth aos lábios; a breve carícia despertando-lhe um formigamento. – Se ela não pode aceitá-la como minha esposa, não tem lugar aqui.

Tal devoção a aqueceu como uma chama, trazendo também uma pontada de arrependimento, pois nunca fora sua intenção ficar entre Crispin e sua família ou seus sonhos. No entanto, também sempre se mostrou egoísta no que dizia respeito a ele – ela o amava e o queria em sua vida.

Quase três horas depois, o último de uma longa fila de convidados havia sido recebido e anunciado no salão até que o espaço outrora cavernoso estivesse transbordando de damas de cetim e cavalheiros elegantemente vestidos.

Ao redor do salão de baile, damas melancólicas olhavam cobiçosamente para Crispin, mulheres de todas as idades que trocariam de bom grado sua posição social pelo papel de duquesa.

Nenhuma delas dirigira-se devidamente a Elizabeth.

Na melhor das hipóteses, foi recebida calorosamente por alguns poucos convidados.

Na pior, foi recebida com pura curiosidade.

Para todos os efeitos, a noite teria de ser... não, já poderia ser considerada um sucesso.

E mesmo assim... Um calafrio percorreu sua espinha. Uma inabalável inquietação apoderou-se dela no momento em que desceu as escadas e encontrou Crispin lhe esperando, substituída apenas por uma breve sensação de calma.

Seus dedos apertaram reflexivamente a haste da taça de cristal e ela bebericou a bebida.

– Você nunca perguntou como eu te encontrei – Crispin murmurou ao seu lado, o melódico tom barítono de sua voz elevando-se acima da música animada tocada pela orquestra. Piscando devagar, Elizabeth o encarou.

– Sempre deduzi que, se você realmente quisesse me encontrar, um emissário poderia ter executado a tarefa facilmente.

– É isso que você acha? – Crispin riu, descendo provocativamente o dedo pela linha do maxilar dela. – Você subestima sua habilidade de se esconder, minha cara, e superestima a minha capacidade de encontrá-la.

Seus olhos se ficaram um no outro por cima da taça dela.

– Contratei emissários e detetives particulares. Você sumiu sem deixar vestígios, Elizabeth Ferguson. – Sua expressão se anuviou. – E teria permanecido assim, não fosse por um encontro casual entre mim e uma jovem. – Crispin olhou para a entrada do salão.

Intrigada, Elizabeth seguiu o olhar dele até o formidável casal que descia a escadaria e atravessava a multidão de convidados. Aristocratas e criados curvaram-se em reverência, uma indicação da riqueza e do poder do casal.

Elizabeth apurou a vista, concentrando-se não no cavalheiro alto e imponente que tinha o salão a seus pés, mas na mulher ao seu lado. Havia algo muito familiar. Algo...

Ela ofegou, mal percebendo quando Crispin segurou sua taça de champanhe enquanto os nobres convidados que chegavam atrasados paravam diante deles.

– Elizabeth, permita-me apresentar Suas Graças, o Duque e a Duquesa de Hampstead.

Cobrindo os lábios com a mão e esquecendo-se das saudações e deferências adequadas ao ilustre convidado, o que causaria uma síncope na Sra. Belden, Elizabeth concentrou-se na mulher ao seu lado.

– Rowena? – perguntou, aturdida, levando a mão ao busto. Ela rapidamente recobrou-se e fez uma reverência tardia. – Vossa Graça – enfim cumprimentando o nobre de cabelos castanhos ao lado de seu marido. Lorde Hampstead deu um sorriso maroto e acenou com a mão.

– Minha esposa tem esse efeito nas pessoas.

– Elizabeth – Rowena a cumprimentou com a compostura de uma mulher nascida em berço de ouro e não como a mulher que apenas um ano atrás trabalhava ao seu lado na Escola de Boas Maneiras da Sra. Belden. Rowena passou o braço pelo de Elizabeth e, após hesitar um instante, lançou um olhar para o marido. – Senhores, creio que ficarão bem sem a nossa companhia por um minuto? – ela perguntou, a provocação em seu tom sendo contradita pela preocupação em seu olhar.

O Duque de Hampstead fez uma mesura com a cabeça.

À medida que os dois cavalheiros travavam conversa com facilidade, Rowena escoltou Elizabeth para longe, guiando-a por entre os convidados intrometidos que esticavam o pescoço para ter um vislumbre das duas duquesas. Rowena a conduziu até o canto mais afastado do salão, diante das janelas arqueadas que se estendiam do chão quase ao teto e tinham vista para as ruas de Londres; o pilar era uma barreira que oferecia alguma privacidade. Toda sugestão anterior de seu sorriso desvanecera.

– Eu sinto muito! – Rowena sussurrou, tomando as mãos de Elizabeth entre as suas. – Todas nós temos nossos segredos e eu, inadvertidamente, revelei o seu para... – A mulher olhou por cima do ombro, espiando na direção de Crispin e Hampstead. – ...o seu marido... – Sua voz se transformara em um sussurro que Elizabeth tentava discernir em meio ao barulho do salão.

– Está tudo bem – Elizabeth assegurou. Quatro dias antes, sua resposta à preocupação da outra mulher teria sido muito diferente. – Mas como...?

– Acompanhei o pupilo de meu marido a uma palestra dada por Sua Graça no Museu Real. Ele discorreu extensamente sobre a domesticação de borboletas. – Rowena entrelaçou os dedos. – Muitos presentes zombaram da possibilidade de tal feito... – Elizabeth sustentou o olhar de Rowena. – Mas eu já tinha visto isso antes.

Uma lembrança lhe veio à mente:

– Não! – Elizabeth gritou. Correndo pelos jardins, assumiu a dianteira do círculo de estudantes. – Não a esmaguem. Borboletas são bastante resistentes. Ele ou ela pode sobreviver mesmo fora do seu hábitat natural...

– Eu...

– Você! – Rowena confirmou. – Você resgatou aquela borboleta-monarca que achamos ferida nos jardins da Sra. Belden e manteve a criatura em seus aposentos, debaixo de um vidro. – Sua ex-colega de trabalho sabia disso. – Ao fim da palestra, quando fomos apresentados, mencionei seus esforços... e Sua Graça me perguntou seu nome.

O coração de Elizabeth disparou.

Eis o que os reunira – um golpe de sorte, ou do destino. Uma conversa entre dois membros da aristocracia que não ocorrera em um salão de baile, mas em um salão de conferências, quando o mais improvável dos palestrantes, um duque, foi abordado por uma duquesa.

– Você... – Rowena umedeceu os lábios – Tem certeza de que está segura? De que está aqui por vontade própria?

Em outras palavras, estava sendo coagida por Crispin?

– Crispin jamais forçaria ninguém a fazer algo que não deseja – ela garantiu com serenidade, para o alívio da outra mulher. Mesmo quando procurou a cooperação de Elizabeth, não ameaçou seu futuro para conseguir um acordo.

– Você o ama – Rowena sorriu saudosamente.

Elizabeth olhou para o outro lado do salão de baile, onde Crispin conversava com o Duque de Hampstead.

– Sim, eu amo... – Sempre amou.

Como se pressentisse a atenção de Elizabeth, Crispin olhou para o lado. Por cima da cabeça dos casais que dançavam, piscou para ela.

Elizabeth sorriu, inebriada por uma leveza que inundava seu peito. Quando voltou a atenção para a única amiga que havia feito na escola da Sra. Belden, notou com o canto do olho o par que adentrava o salão de baile.

Todos os momentos de aparente perfeição haviam finalmente chegado ao fim.

Oh, merda!

– É a mãe dele? – Rowena murmurou.

Sem perceber que falava em voz alta, Elizabeth surpreendeu-se perguntando:

– Você já passou por isso? – sentiu o estômago embrulhado.

– Mais do que eu gostaria – confessou a outra mulher. – No meu caso, "o pai". Ele... me dispensou. – Rowena passou os braços pela própria cintura.

– Não me diga? – Elizabeth murmurou. Existiam expectativas para herdeiros orgulhosos, e jamais o mundo permitiria intrusos.

A velha duquesa desceu a escadaria com a pompa e a realeza de uma rainha que agracia os reles súditos com sua presença. Só então Elizabeth permitiu-se avaliar o cavalheiro ao lado da rica viúva.

– Oh, meu Deus! – a exclamação saiu estrangulada de sua garganta. Os óculos, a pele alva e os cachos rubros dos Terry eram inconfundíveis. Assim como não havia dúvida de que a presença desse cavalheiro nessa noite específica, em detrimento de todas as outras noites, só podia ter uma razão.

A duquesa e seu convidado aproximaram-se de Crispin e disseram-lhe algo. No momento seguinte, ele deixava o salão de baile, acompanhando o par de volta pelas escadas.

Inconscientemente, estendeu a mão e encontrou amparo nos dedos de Rowena.

– Elizabeth? – a amiga urgiu, preocupada, apertando-lhe a mão subitamente úmida. – O que está acontecendo? – A pergunta pareceu ecoar de um longo corredor vazio.

– É o meu tio – ela balbuciou, num fio de voz. A ressureição do guardião ausente, e de braço dado com a mãe de Crispin, só podia significar uma coisa, e não era nada boa.

Indiferente aos apelos de Rowena, Elizabeth precipitou-se pelo salão, com a sensação de *déjà vu*... de uma noite dez anos atrás.

Capítulo 15

A mãe de Crispin estava sorrindo.

E o passado já havia mostrado que nada de bom poderia advir daquele sorriso. Especialmente quando se mostrava logo após uma ordem, e no meio de um baile, enquanto Crispin conversava nada mais, nada menos do que com outro duque.

Sentindo um arrepio percorrer a espinha, gesticulou para que o par o acompanhasse a seu escritório.

– Creio que, o que quer que exija a minha presença, seja de vital importância – ele falou entre dentes, quase em tom de ameaça.

Os lábios da velha duquesa se contorceram em evidente desagrado.

– Deveria mostrar-se mais feliz ao ver sua querida mãe, Crispin – ela afirmou quando a porta do aposento foi fechada.

– Não tenho tempo para seus joguinhos esta noite, minha mãe – ele disse, lançando um olhar de advertência para o cavalheiro que lhe parecia familiar ao lado dela.

– Joguinhos, Crispin? – ela respondeu, ofendida, colocando a mão sobre o peito. – Você sabe muito bem que não me rebaixo a "joguinhos".

– De fato. – Aprendera tal lição ainda menino, ao pedir que ela jogasse pega-varetas com ele. Foi o mesmo que ter pedido a cabeça do rei em uma bandeja, de tão escandalizada que ela ficou. Cruzando os braços, ele empinou o nariz: – Isto posto, diga-me o que é tão importante que não podia ser dito na frente de meus ilustres convidados, e tão vital que não podia esperar até o final do baile. – Passando pelo estranho que continuava silencioso, Crispin acomodou-se à sua mesa.

Os lábios de sua mãe curvaram-se num esgar que, após conhecê-la uma vida inteira, ele sabia que era o mais próximo que ela conseguia fingir de um sorriso. Tenso. Desconfortável. E mais adequado para alguém que sofre de gases.

– Resolvi nosso problema.

– Não sabia que tínhamos um problema. – Crispin pousou o quadril na beira da mesa.

– Muito bem, resolvi o *seu* problema.

Orgulhosa demais para exibir um vinco que fosse nas saias de seda, a duquesa jamais ousaria admitir um problema, uma fraqueza, na frente de um estranho, como tinha acabado de fazer.

Crispin observou atentamente o cavalheiro magro de doer: franzino, ruivo, bochechas pálidas, idade indefinível. O estranho engoliu em seco e olhou de mãe para filho.

– Po... posso sugerir que as apresentações sejam feitas? – ele gaguejou, lutando com o peitilho intricadamente amarrado de sua camisa.

– Que ideia esplêndida! – exultou a duquesa batendo palminhas na frente do busto. – Permita-me apresentar o Sr. Dalright Terry.

Terry.

Crispin ficou em pé.

– Você reconhece o nome – disse sua mãe, mas não foi uma pergunta.

Uma alegria incomum raiou em seus olhos, o que serviu apenas para aumentar o presságio ameaçador. Crispin olhou de um membro para outro desse improvável emparelhamento.

– O que significa isso? – exigiu saber em um sussurro veemente.

– Mas isso são modos de cumprimentar um cavalheiro que, por ligações matrimoniais, é da família?

O Sr. Terry empertigou-se, estufando o peito.

– São sim, quando o referido cavalheiro surge após uma ausência de mais de dez anos – retrucou Crispin, murchado o peito inflado de orgulho do outro homem.

– Tsc, tsc, Crispin... – Sua mãe pôs-se a andar pela sala, com um farfalhar de saias. – Como o erudito que é, esperava que você, dentre todas as pessoas, entenderia que o Sr. Terry é um ávido pesquisador que contribuiu muito para... – virou o cenho franzido com expectativa para o hóspede. O tio de Elizabeth limpou a garganta:

– O sistema de nomeação binomial de espécies animais e vegetais.

– Hã... sim... – a duquesa empinou o nariz. – Bem... creio que você entende a importância de... disso.

Não, ele não entendia. Não quando a pesquisa e os estudos do sujeito suplantaram o bem-estar de sua sobrinha.

– Você tinha uma obrigação – cortou Crispin.

– Eu estava viajando – irritou-se o Sr. Terry.

– Sua sobrinha era órfã!

O homem deu sensatamente um passo para trás. A mãe de Crispin colocou-se entre os dois.

– Pare neste exato instante, Crispin. Você não é um valentão. – Não, ele não era. Como tal, jamais agrediu, intimidou ou zombou de uma única alma. Mas agora, com esse maldito, o sujeito que abandonou Elizabeth sozinha no mundo sem preocupar em dar as caras quando ela mais precisou, ressurgindo mais de uma década depois...

– Saia daqui.

– Crispin! – sua mãe exclamou. – Espero mais de você do que isso!

– Muito bem – disse ele em um tom medido, que desafiava o domínio limitado de seu autocontrole, mas com um rosnado lhe subindo pelo peito. – Saia daqui, antes que eu te bote para fora com um chute no seu traseiro.

O tio de Elizabeth, contudo, mostrou-se muito mais valente do que ele imaginou, ou que do que o agitado pomo de adão o fez parecer.

– Eu-eu não posso. – Ele trocou um olhar quase imperceptível com a mãe de Crispin, tão fugaz que, se tivesse piscado, Crispin não teria visto. Mas ele viu. E todos os sinais de alerta rugiram em seus ouvidos.

– E por que não pode, Sr. Terry?

– Porque eu não aprovo a união.

– Pfft... – Crispin zombou. – Seu momento de aprovar ou desaprovar passou há dez anos – E atravessou a sala com passos rápidos, já alcançando a maçaneta da porta.

– Você não entendeu – o tio de Elizabeth apressou-se em dizer. – Como guardião legal de Elizabeth, minha aprovação era *necessária*.

Crispin parou abruptamente, mirando a porta de carvalho.

– Uniões válidas entre tutelados que ainda não atingiram a maioridade requerem a aprovação do guardião. – As palavras de Terry foram ditas como se tivessem sido ensaiadas para uma produção teatral.

E, de certa forma... tinham sido.

Com o coração martelando na caixa torácica, Crispin se virou.

– O que está dizendo? – ele arqueou a sobrancelha, lutando para manter a calma. – E o aconselho a escolher suas palavras com muito cuidado, Sr. Terry – avisou, com a voz gélida.

O Sr. Terry vacilou, mas então olhou para a duquesa viúva, que assentiu levemente. Então falou de supetão.

– Estou dizendo que Lillibet...

– Elizabeth! – Crispin corrigiu. Sua esposa sempre desprezara o apelido que sua família lhe dera.

– ...não poderia se casar legalmente sem o meu consentimento. Sendo assim, a união é... a união pode ser contestada e a anulação concedida.

O silêncio entre os três se prolongou. Uma batida do relógio. O ruído das carruagens do lado de fora. A mãe de Crispin se aprumou:

– Eu fiz o que seu pai não foi capaz – suas narinas se alargaram. – O que o seu pai não quis fazer. Você o fez se sentir tão culpado por suas ações que ele não conseguiu seguir adiante e pôr um fim nisso. Ela afofou os cachos. – Bem, eu consegui o que o seu pai não conseguiu.

– E o que seria? – Crispin perguntou impaciente, cansado das divagações dela e da presença do tio de Elizabeth.

– Ora, assegurei a paz entre nossa família e os Langleys.

– Impossível – ele murmurou. Os Langleys destilavam ódio pelos Ferguson desde o casamento de Crispin, e o subsequente enlace de Lady Dorinda com um beberrão desavergonhado que dilapidou seu dinheiro e acabou morto a tiros por um marido revoltado durante um duelo. A sensação de culpa lhe caía como uma luva.

– Impossível para alguns – ela deu uma palmadinha no braço do filho. – Mas não para sua mãe.

– E como conseguiu tal façanha? – ele perguntou, cansado, ao que a velha duquesa franziu o cenho.

– Você costuma ser muito mais inteligente que isso. Seu casamento é inválido, Crispin. Não vê? Você está livre! – ela sorriu. – Livre para corrigir um erro do passado... e finalmente casar-se com Lady Dorinda.

Há muito tempo, Elizabeth aprendera os perigos de espiar pelos buracos da fechadura.

Pouco mais de dez anos antes, teve o coração partido por esse hábito.

Agora, lá estava ela com o coração sendo despedaçado novamente.

Você está livre. Livre para se casar com Lady Dorinda...

Elizabeth agarrou a borda da porta, enrolando os dedos com tanta força que chegou a deixar marcas de unhas na madeira. E concentrou-se na respiração.

Respirações silenciosas, regulares, que não revelariam sua presença, enquanto mãe e filho, e agora o guardião errante de Elizabeth, discutiam o futuro de Crispin – sem ela.

Elizabeth fechou os olhos com força.

Ele me ama.

Sempre me amou.

Sentira sua falta quando ela se fora.

Todavia, o casamento deles quebrara uma aliança familiar entre Crispin e a afilhada de seus pais. A filha de um duque. Preparada para ser a noiva de um duque. E esse relacionamento foi rompido com o casamento de Crispin e Elizabeth.

E, agora, o que a mãe dele e o guardião de Elizabeth apresentavam, possibilitava algo que antes parecia impossível.

Elizabeth se forçou a abrir os olhos, ávida por sua própria desgraça. Apurou os ouvidos, tentando distinguir qualquer indício de resposta, som ou discurso do trio atrás da porta.

Havia algo muito pior no silêncio de Crispin.

Diga alguma coisa, implorou silenciosamente. *Diga a ela que seu amor por mim é muito maior do que qualquer obrigação que você tenha para com a linhagem de Huntington.*

Quando ainda não ouviu resposta, Elizabeth agarrou a maçaneta, com a intenção de entrar e, dessa vez, forçar sua presença na sala, uma intrusa em uma discussão da qual não queriam que ela fizesse parte. Exatamente como a deixaram de fora no passado.

Mas para quê? Para influenciar... o que Crispin diria ou não?

Recolheu o braço e se abraçou para não abrir a porta. Crispin não lhe pertencia. Não dessa maneira. Elizabeth o queria, mas não podia se inserir no meio da oferta que sua mãe lhe apresentava.

Liberdade.

Mordiscou o lábio inferior. Como desejava ser egoísta o bastante. Elizabeth estava se retirando quando a voz grave de barítono de Crispin quebrou o silêncio e a fez paralisar.

– Saia daqui!

O coração dela parou.

– Crispin?

– Você vem à minha casa na noite em que estou apresentando minha esposa à alta sociedade para me ameaçar com a dissolução de nosso casamento.

O coração de Elizabeth acelerou e ela levou a mão ao peito, certa de que os presentes discutindo naquela sala poderiam ouvir as marteladas convulsivas. Certa de que se revelaria ouvindo tudo às escondidas.

– Você mesmo admitiu que foi um erro, Crispin! – exclamou a duquesa viúva, exasperada, transbordando de aborrecimento nesse lembrete. – Disse que se pudesse teria agido de maneira diferente para preservar a conexão com Lady Dorinda. – Houve uma pausa. – Agora você pode.

– E você quer que eu faça isso sem nem pensar nas consequências para o futuro de Elizabeth?

– Ora, a garota é engenhosa. Ela se saiu muito bem sem você, Crispin, e continuará bem quando for embora.

Tal declaração foi o mais perto que a mãe dele chegou de elogiar Elizabeth. Que irônico que tenha sido apenas com a esperança de livrar-se dela.

– Posso ajudar-lhe em algo, Vossa Graça?

Elizabeth arrepiou-se com a interrupção inesperada e olhou para o mordomo. Ele sustentou o olhar, a pergunta ainda estampada em seus olhos. Elizabeth sacudiu a cabeça bruscamente e, com passos cuidadosos, foi até o criado de prontidão.

– Há algo que você pode fazer... – Ele fez uma reverência com a cabeça. – Queira me preparar uma carruagem, sim?

– Agora? – ele perguntou espantado.

Sim, decerto era uma gafe terrível fugir do próprio baile, sair da propriedade na calada da noite com uma casa cheia de convidados que ainda permaneceriam por mais seis horas, no mínimo.

– Sim, o mais rápido possível.

– Como desejar, Vossa Graça. – O criado recuperou a compostura. Enquanto se afastava depressa na direção oposta, Elizabeth seguiu em frente como um raio, não parando até chegar aos seus aposentos.

Sua criada surpreendeu-se ao vê-la, arregalando os olhos.

– Vossa Graça – ela exclamou, acudindo-a.

– Calista – Elizabeth foi direto até o quarto de vestir e, abaixando-se, agarrou as alças do baú que tinha sido feito por seu pai e o puxou, arrastando-o ruidosamente pelo chão.

A garota olhou para o baú, seguindo todos os movimentos de Elizabeth que se dirigiu ao armário, escancarou as portas e retirou uma braçada de roupas.

– Vossa Graça? – a garota repetiu com a voz aguda.

– Não preciso de assistência – Elizabeth assegurou, sem desviar os olhos de sua tarefa.

Depôs as roupas de baixo cuidadosamente dobradas no fundo do baú e em seguida voltou ao armário decorado com rosas para pegar seus vestidos. Não. Os vestidos de uma dragão é o que eles eram.

– E todas as alunas deixam sua tutela com o espírito nivelado?

Elizabeth se interrompeu, apertando as peças que tinha nos braços. Abraçou as roupas bem junto a si. Quantos anos passara justificando o trabalho que desempenhava na escola da Sra. Belden? Ela estava... sobrevivendo. Só que, até Crispin contestar seu modo de vida, não reconhecera o mal que havia causado a outras meninas, tudo em nome de sua... sobrevivência.

Garantir o próprio futuro não era desculpa para as lições que havia lecionado. Para as almas que havia prejudicado. Os sonhos que destruíra.

Cerrando os dentes, Elizabeth jogou os vestidos no fundo do baú e se adiantou para recolher o restante de seus pertences, enfiando a cabeça no armário. Às suas costas, ouviu o leve clique da porta se abrindo.

Calista deixou a posição junto ao armário e saiu correndo do quarto. Um momento depois, a porta se fechou atrás dela.

– Minha mãe chegou há pouco tempo – disse Crispin em voz baixa na entrada do quarto. – Com... um convidado. Seu tio.

– Estou ciente – admitiu Elizabeth, puxando a capa com a gola desfiada. O artigo esfarrapado estava enroscado em um gancho dourado. Um rasgo alto encheu o cômodo quando ela finalmente conseguiu libertar a peça de lã.

– Você está ciente – ele repetiu.

Elizabeth levou a capa até o baú e a jogou lá dentro. Estava prestes a se virar, quando Crispin disse:

– Então você ouviu... – ele perguntou intrigado – o que foi dito.

Elizabeth enfim parou o que fazia e encontrou o semblante velado de Crispin do outro lado da sala. Os olhos que ardiam com paixão e amor desenfreados na noite anterior agora não revelavam nada.

– Eu ouvi o suficiente – ela admitiu sem se alterar.

Capítulo 16

Crispin acreditava que não havia dor maior do que a que ele experimentara quando soube que Elizabeth tinha desaparecido anos atrás.

Mas, assim como se descobrira equivocado em tantos pontos, novamente percebia que estava errado.

Tomado de uma dormência oca, assimilou os movimentos frenéticos com os quais ela recolhia suas roupas hediondas e percorria o cômodo, enfiando intempestivamente os pertences no baú feito pelo pai.

Estou prestes a perdê-la novamente.

Só que, desta vez, seu coração seria despedaçado como jamais fora.

Porque agora, quando ela partisse, o fio que os mantinha unidos seria cortado por suas famílias... e, como sua mãe dissera, Crispin estaria livre.

Não, Elizabeth estaria livre.

Sentiu a pressão apertando seus pulmões, espremendo o fluxo de ar, espalhando a dor em todos os seus músculos.

– Seu tio está contestando nosso casamento – disse ele, sem reconhecer a tensa rouquidão em sua própria voz.

– Estou ciente disso – ela murmurou, terminando de arrumar sua bagagem.

Como, diabos, ela estava tão composta? Inferno! Como podia permanecer tão serena quando o mundo inteiro de Crispin estava vindo abaixo?

Crispin deu um passo, mais um e depois parou. Então deu outro, e mais outro, até postar-se ao lado do baú dela. Examinou o conteúdo já empilhado lá dentro.

– Eu disse à minha mãe que eu te amo.

Assim como deveria ter dito aos seus pais quando eles fugiram para se casar. Elizabeth merecia um marido que não tivesse medo de estar com ela. Que lutaria contra o mundo e não que tentaria contemporizar com aqueles que não aceitassem sua união.

– Eu disse a ela que sempre te amei.

– Você fez o quê? – Ela parou diante do armário.

Por Deus, como detestava a surpresa hesitante contida naquelas palavras. Ele confirmou:

– Expliquei que você sempre foi dona do meu coração e que eu te admiro mais do que a qualquer outra pessoa. Que seu espírito, sua força e inteligência fazem com que você se destaque mais do que qualquer outra mulher com quem ela queira que eu me case... independentemente da posição social.

Elizabeth ficou sem reação. Encorajado, ele deu um passo mais para perto.

– Eu cometi um erro ao rejeitar meus sentimentos por você antes, Elizabeth – ele admitiu com suavidade, a confissão reverberando pela sala. – É um erro que sempre carregarei, mas meus sentimentos por você agora são os mesmo de outrora – Ele foi até ela e pegou suas mãos, o vestido cinza que ela estava segurando caiu em uma pilha abandonada aos pés deles. – Eu não me importo com alianças familiares ou com o escândalo que se seguirá quando seu tio contestar nosso casamento... – Sua garganta trabalhava dolorosamente. – Eu quero você, Elizabeth! – Crispin bateu a mão no baú. – E ai de mim se eu deixar você escapar dessa vez – seu peito arquejava – a menos que seja isso que você queira...

Porque, por mais que deixá-la partir o devastaria, Crispin a amava tanto que a felicidade e o futuro dela sempre significariam mais que o dele.

Elizabeth abriu a boca, mas nenhuma palavra saiu. E, enfim...

– É isso o que você acha? – ela levantou uma palma trêmula e pousou na bochecha dele. – Que eu estou *indo embora*?

– Geralmente, é isso que arrumar as bagagens sugere – ele pestanejou, num fio de voz, olhando incisivamente para o baú.

Ela se desfez em um sorriso emocionado.

– Oh, Crispin. Sim, é exatamente isso o que significa. Estou arrumando minha bagagem, mas não pretendo partir sozinha.

– Eu não entendo... – seu raciocínio estava embotado.

– Eu tinha fé de que... dado o estado em que se encontra nosso casamento, uma fuga estaria na ordem do dia.

– Uma fuga! – Ela não estava partindo. Quer dizer, estava... mas, desta vez, pretendia ir com ele.

– Isto é, pressupus que você gostaria de me acompanhar até Gretna Green. – Seu sorriso vacilou. – A menos que você não queira...

Ela ainda não sabia. E isso só mostrava o quanto Crispin falhara, mesmo todos esses anos depois, em demonstrar o quanto ela significava para ele. Que a vida dele só estaria completa se Elizabeth estivesse nela. Sem ela, só restaria o vazio.

– Eu menti para você. – Elizabeth ficou rígida ao ouvir tal confissão. – No dia em que te encontrei na escola da Sra. Belden, fiquei com raiva. Estou com raiva há tanto tempo. – A raiva fora um terreno mais seguro do que a agonia do abandono que o consumiu. – Eu te pedi um dia – ele riu. – Mas um dia nunca seria suficiente. Eu sabia desde o instante em que pisei na escola daquela megera e vi você se embaralhando para achar seus óculos.

Elizabeth levou as mãos aos lábios. Crispin ajoelhou-se diante dela:

– Case-se comigo – sussurrou. – Mais uma vez. Case comigo e, desta vez, para sempre!

Elizabeth permaneceu imóvel e, então, voltando a si num misto de risadas e soluços, ela se jogou nos braços dele, derrubando-o para trás.

– Para sempre! – ela jurou.

E com o riso dos dois se fundindo em um só, Crispin a abraçou e reivindicou sua boca em um beijo que prometia exatamente isso: a eternidade.

Epílogo

– Você é forte e magnífica. Estou *completa* e absolutamente *fascinado*.

Tais palavras ditas com tanta gentileza vieram como um eco de outra época. Um momento ocorrido há tanto, tanto tempo e que, mesmo assim, permanecia tão vivo e real na memória de Elizabeth.

Uma suave brisa de verão soprou pelas colinas de Oxfordshire, agitando os galhos das exuberantes bétulas; farfalhando as folhas que dançavam ao sabor do vento.

– Nunca vi ninguém trabalhar tão arduamente quanto você.

Elizabeth beliscou de leve o braço do marido:

– Crispin Ferguson, você está roubando as minhas palavras.

– Mas ela é magnífica – Crispin insistiu, o olhar cheio de adoração ainda fixo adiante. Desviou o foco brevemente da matéria que agora dominava sua atenção e a de Elizabeth; e olhou para a esposa, deitada na grama ao seu lado. – Contudo, eu acrescentaria esperta – completou, todo babão.

Como se respondesse, Aris, a bebê de oito meses de Crispin e Elizabeth, colocou-se de quatro.

Crispin apressou-se a colocar-se na mesma posição, no que foi seguido por Elizabeth.

– Aí está, meu amor – o pai sussurrou. – Você conseguiu!

Rindo, Aris se balançou apoiada nas mãozinhas e nos joelhos. Então, seu precioso bebê começou a engatinhar, e engatinhou vários centímetros antes de se desequilibrar.

– Você consegue, amorzinho – a mãe encorajou com tanta gentileza que pareceu dar firmeza a sua linda bebê rechonchuda e cheia de cachinhos escuros.

Aris estatelou-se sobre a barriguinha mais uma vez e, fazendo bolhinhas de baba com a boca, agitou os braços e pés alegremente.

Um suspiro de contentamento escapou dos lábios de Elizabeth, suspiro esse que terminou em risada conforme Crispin passou o braço por ela e a puxou para junto de si, seus corpos apoiados, encaixados, como se fossem um. Como se tivessem sido feitos um para o outro.

E... tinham sido mesmo.

Seus pensamentos, suas paixões e até mesmo seus gestos mais simples sempre foram sinfonicamente sincronizados.

– Olhe só para ela – a voz maravilhada do marido ecoou nos ouvidos sensíveis de Elizabeth.

– Ela é mesmo magnífica – respondeu com suavidade, repousando os braços sobre aquele que carinhosamente a enlaçava.

– Mama-Mama... eh-eh – Aris balbuciava.

– Você ouviu isso? – Crispin perguntou. – Ela está dizendo "É, mamãe". É incrível como nossa garotinha também é tão confiante.

Ao ouvir o sorriso na voz do marido, Elizabeth ergueu os olhos e a emoção invadiu seu peito. Ele admirava a filha com tamanho encantamento e orgulho que ela sentiu o coração acelerar e apaixonou-se por Crispin mais uma vez.

Como se tivesse sentido que era observado, Crispin olhou para a esposa. O amor e o calor incandescente que ardiam em suas pupilas a arrepiou como uma carícia física.

– Eu te amo profunda e loucamente, Elizabeth Ferguson.

– Eu amo você, meu querido esposo – ela respondeu rouca, levantando os lábios para receber o beijo que ele lhe oferecia.

Crispin roçou os lábios nos dela num encontro cheio de ternura. Mas o gritinho agudo de Aris interrompeu o momento.

Elizabeth desvencilhou-se do aperto carinhoso de seu marido.

– Você consegue, meu amor – encorajou, com a voz melodiosa que a filha tanto amava.

E então Aris apoiou-se nos cotovelos e nos joelhos gordinhos mais uma vez.

– Lá vem ela – Crispin disse maravilhado, juntando-se a Elizabeth. – Ela quer vir com a Mamãe e o Papai.

– Buba-Buba-Buba – Aris repetia sem parar.

E então começou a se mover.

Levantando-se de um pulo, Elizabeth e Crispin estenderam os braços, eufóricos, incentivando-a a seguir em frente.

– Venha, lindinha.

– Você consegue! – Crispin chamou, acenando para sua adorada menina.

Gargalhando, enrubescida, Aris engatinhava cada vez mais rápido e com movimentos cada vez mais firmes. Como se temesse perder o embalo. Como se quisesse desesperadamente reunir-se a sua mãe e seu pai.

E logo ali ela estava...

Ou esteve.

Sem entender, Elizabeth olhou para trás à medida que Aris passou por eles, ignorando-os completamente.

– Mas o quê...? – E então caiu na risada.

– Estou errado por me sentir orgulhoso em vez de ofendido? – O riso rouco de Crispin juntou-se ao dela, fundindo a felicidade de ambos em uma só.

Abrindo um sorriso largo, Elizabeth ajeitou os óculos e assistiu à filha curiosa estender um bracinho ainda oscilante na direção de uma borboleta preta e amarela. O inseto flutuava tão perto, que os dedinhos de Aris roçaram as asas da gloriosa criatura que rodopiou numa dança aérea e, no instante seguinte, voou para fora de alcance.

Aris caiu de barriga, com o rosto na grama, e explodiu num choro sentido que ecoou por toda a campina.

– Vem, vem com o papai! – Crispin já corria até o bebê choroso. Ele a pegou no colo, levantou-a acima de sua cabeça e girou uma vez com ela.

Todas as lágrimas da garotinha foram imediatamente substituídas por um riso de divertimento. Elizabeth cruzou os braços e apreciou o calor que preenchia seu coração ao observar pai e filha.

– Encontraremos outras, meu coração – Crispin prometeu, baixando Aris para falar com a filha olho no olho. – Borboletas e formigas e abelhas... e outros insetos que sua mãe e eu apenas *sonhávamos* em encontrar.

– Eh-eh-eh.

– É isso mesmo – Crispin concordou, acolhendo a filha num abraço caloroso.

Por cima dos cachinhos pretos e rebeldes de Aris, os olhares de marido e mulher se encontraram.

– Eu te amo – ele disse baixinho.

Elizabeth sentiu o coração palpitar, como sempre sentia quando ele estava por perto. Como sempre tinha sentido.

– Eu também te amo – respondeu num fiapo de voz, colocando a mão sobre seu peito.

– Estava procurando vocês três.

Ao som distante e sem fôlego daquela voz, Elizabeth e Crispin se viraram.

A velha duquesa, com o rosto vermelho e brilhando de suor, marchava determinada colina acima, sob o sol do verão. Com as saias levantadas bem alto, ofegante, enquanto tentava alcançá-los, a mãe de Crispin não era nem sombra da dama impecável das primeiras — e por muito tempo únicas — lembranças de Elizabeth.

– Minha mãe... – apontou Crispin, desnecessariamente.

– Sim. – Naturalmente, não era mais incomum receber visitas da velha senhora.

– Esperava que ela viesse só daqui a algumas semanas. – E olhando para a esposa: – Você se importa?

– Não – ela respondeu genuína e automaticamente. Houve um tempo em que a mera presença da duquesa viúva bastaria para envenenar o coração de Elizabeth com raiva ou, no mínimo, desgosto.

De todas as mudanças dos últimos anos, a mais inesperada, porém muito bem-vinda, havia sido o amolecimento da mãe de Crispin. Mas também chocante, considerando que houve uma época em que Elizabeth apostaria toda a terra que ambos adoravam explorar no fato de que aquela mulher jamais mudaria... ou seria mudada. Ainda bem que não apostou. O amor de mãe falou mais alto e a felicidade do filho mostrou-se mais importante que títulos e propriedades. Ela desculpou-se com Crispin... e com Elizabeth — desculpas que se provaram sinceras. E, decididos a recomeçar, encontraram paz como uma família.

Finalmente, a velha duquesa os alcançou. Com as mãos nos quadris, contemplou o campo que se estendia colina abaixo e sorriu.

– Consegui – ofegou, visivelmente satisfeita consigo mesma.

– Olá, Mãe – cumprimentou Elizabeth quando a senhora recuperou o fôlego. – Prometo que fica mais fácil com o passar do tempo.

– Bem, quanto a *isso* – a mãe de Crispiu, com o dedo em riste na mão que ainda vestia luva –, vocês dois me conhecem bem. Mas estou melhorando, não é mesmo? – perguntou com a voz melodiosa ao estender os braços para a neta: – A vovó está ficando mais rápida, mais forte e mais divertida.

– Divertida? – Crispin sibilou sem que a mãe o visse.

– Comporte-se – Elizabeth o repreendeu discretamente.

A garotinha bateu palmas, animada, e estendeu os bracinhos para a avó, que sorriu embevecida.

– Ah, viram só? Ela concorda. Quem é a menininha *mais* esperta da vovó? Quem é?

– Eh-eh-eh – Aris festejou.

– Minha fofinha – disse a mãe de Crispin com um afeto que Elizabeth nunca tinha visto a mulher demonstrar, nem mesmo quando o filho era criança. – Quem está feliz de me ver? – dizia com uma vozinha fina, reservada exclusivamente para a bebê. A velha duquesa aninhou Aris em seu colo e a balançou. – Vamos deixar Mamãe e Papai um pouquinho para explorarmos o campo só nós duas?

Aris deu um beijo desajeitado na bochecha da vó, que se derreteu ainda mais.

– Aceito isso como um "sim".

O som da dupla conversando e rindo foi ficando distante à medida que se afastavam.

– Ela mudou – Crispin observou.

– O tempo muda a todo nós. – Às vezes para pior. Às vezes para melhor.

Crispin agarrou Elizabeth pela cintura, que soltou uma risada rouca ao ser pega de surpresa. Então aconchegou-se junto ao corpo dele.

– Está feliz, meu amor? – sussurrou, beijando o lobo de sua orelha.

Elizabeth entregou-se aos braços dele.

– Com você, sempre, Crispin. Sempre.

Em seus dias mais solitários na Sra. Belden, Elizabeth não conseguia imaginar para si nada além de um futuro repleto de solidão. Enxergava-se velha e sozinha, trabalhando em um posto que nunca lhe trouxera felicidade. Quantas vezes pegou-se olhando janela afora, sonhando com algo a mais...

Uma brisa errante carregou o eco distante da risada de Aris, e Elizabeth fechou os olhos.

Agora tinha muito mais do que jamais ousara sonhar: uma filha curiosa e precoce... e o amor de seu marido.

Para sempre.

Sobre as autoras

Tessa Dare é autora best-seller nas listas do *The New York Times* e do *USA Today*, com mais de vinte romances históricos.

Mesclando astúcia, sensualidade e emoção, Tessa escreve romances ambientados na era vitoriana com os quais leitores modernos se identificam. Seus livros já ganharam inúmeras honrarias, incluindo duas vezes o prestigioso prêmio RITA, além do Selo de Excelência da *RT Book Reviews*. A revista *Booklist* a nomeou como uma das "novas estrelas do romance histórico", e os direitos de suas obras já foram adquiridos para tradução em mais de 12 idiomas.

Bibliotecária por formação e amante dos livros por vocação, Tessa fez do sul da Califórnia o seu lar, onde vive com o marido, dois filhos e um trio de gatinhos fora de série.

Para ficar por dentro dos lançamentos de Tessa, registre-se para receber sua newsletter: <tessadare.com/newsletter-signup>.

Christi Caldwell é autora best-seller de romances históricos, e culpa Judith McNaught e seu livro *Whitney, meu amor!* (1985) por ter sido atraída para esse mundo. Um dia, no apartamento em que vivia durante sua pós-graduação na Universidade de Connecticut, Christi decidiu juntar suas anotações e tentar a sorte como escritora. Ela acredita que heróis e heroínas têm imperfeições e se diverte um bocado atormentando seus personagens antes de lhes dar o merecido "felizes para sempre".

Quando não está escrevendo, ela pode ser encontrada em sua casa no sul de Connecticut com seu corajoso filho e suas gêmeas, princesas em treinamento.

Visite <christicaldwellauthor.com> para ficar por dentro dos projetos em que Christi está trabalhando ou conecte-se a ela no Facebook em Christi Caldwell Author, ou no Twitter @ChristiCaldwell!

Para dar uma olhadinha em capas, trechos e material de bônus gratuito, assine a newsletter em <my monthly newsletter>!